Ler o texto de Alexandre Ximenes sob
Cristo Jesus é ler a história de um hor
é possível, como é imprescindível. Nas oraçoes
a chave dessa vitória que sua vida testifica. Esta coleção de reflexões é um presente de Deus, por meio de uma vida que o Senhor salvou como presente a si e à sua Igreja.

ARIOVALDO RAMOS
Presidente Nacional da Visão Mundial

Eu conheço Alexandre Ximenes desde a década de 1980. Foi um período no qual ele me acompanhou em muitas viagens e também me substituiu em muitos eventos, onde foi pregar me representando, tamanha era a confiança que eu tinha no fato de que ele expressaria com toda a fidedignidade a mensagem do evangelho — porque Alexandre, de fato, entendia a palavra da graça de Cristo Jesus e a pregava com unção. Experiências absolutamente necessárias, da existência e da maturidade da vida, aconteceram com ele e foram também responsáveis por forjar a pessoa que, hoje, é como é — e que se apresenta diante de você com as expressões do texto e da profissão da esperança, da fé e do amor que carrega no coração. Quando, em 1998, meu mundo aparentemente tinha acabado, ele, Alexandre, estava comigo e nunca me deixou, nem por um instante! Para mim, é um grande privilégio recomendar a leitura deste livro, porque é uma grande alegria ser amigo do Alexandre. E que a leitura seja boa para todos!

CAIO FÁBIO D'ARAÚJO FILHO
Pastor e fundador do movimento Caminho da Graça

Alexandre Ximenes, meu amigo de longa data, tem experiência e autoridade para escrever este livro. Ele é um grande vencedor! E não é vencedor de uma luta só; é vencedor de lutas árduas e contínuas no ringue da vida, que deixaram marcas no corpo, na alma e no espírito. Um campeão não se faz em horas ou dias; às vezes, são necessários anos. Ele mesmo seguiu as orientações que lhe foram dadas e Deus o levantou do pó, o lavou, purificou, o transformou, levantou sua autoestima, devolveu-lhe o sorriso, enxugou-lhe as lágrimas e deu a ele um propósito de vida. Sim, ele teve fracassos, mas o Deus perdoador estava sempre ao seu lado, animando-o e dizendo: "Levante e sacuda a poeira; livre-se das correntes do seu pescoço" (Is 52.2).

JOÃO A. DE SOUZA FILHO
Pastor e escritor

Foi com emoção e grande expectativa que li este livro. Dom Alexandre Ximenes, com toda sua vasta experiência, apresenta um guia que nos encoraja a vencer os obstáculos da vida segurados pelo amoroso abraço de Jesus. Neste louco mundo de hoje, é um livro excelente e necessário para quem precisa ter esperança, para os fracos que desejam ser fortes e para quem não quer desistir, mas, sim, vencer.

NINA TARGINO
Coordenadora Nacional do Movimento Desperta Débora, advogada, escritora e membro da Igreja Batista de Tambaú, em João Pessoa (PB)

Bispo Alexandre Ximenes prega e escreve aquilo que vive. A coerência é o que faz a grandeza de um testemunho cristão. Essa é a razão do seu apreciado apostolado. Depois de mais de quatro décadas de ministério, ele é como o vinho: quanto mais velho, melhor!

DOM PAULO GARCIA
Arcebispo da Igreja Episcopal Carismática do Brasil

ALEXANDRE XIMENES

AVANTE!

GUIA BÍBLICO PARA VENCER OS PROBLEMAS DA VIDA

São Paulo

Publicado por Editora Mundo Cristão

Os textos das referências bíblicas foram extraídos da *Nova Versão Transformadora* (NVT), da Editora Mundo Cristão, salvo indicação específica. Usado com permissão da Tyndale House Publishers, Inc. Eventuais destaques nos textos bíblicos e citações em geral referem-se a grifos do autor.

CIP-Brasil. Catalogação na Publicação
Sindicato Nacional dos Editores de Livros, RJ

X34a

Ximenes, Alexandre
Avante!: guia bíblico para vencer os problemas da vida / Alexandre Ximenes. - 1. ed. - São Paulo: Mundo Cristão, 2018.
144 p. ; 21 cm.

ISBN 978-85-433-0302-4

1. Espiritualidade. I. Título.

18-47797

CDD: 248
CDU: 2-584

Categoria: Inspiração

Publicado no Brasil com todos os direitos reservados por:
Editora Mundo Cristão
Rua Antônio Carlos Tacconi, 79, São Paulo, SP, Brasil, CEP 04810-020
Telefone: (11) 2127-4147
www.mundocristao.com.br

1ª edição: maio de 2018

Em memória e gratidão aos meus pais, que me ensinaram o caminho da vida por seu exemplo.

À Carmen, minha amada esposa, amiga e companheira, que tem sido suporte, estímulo e vida em minha jornada.

Aos meus filhos, Christinne, Vanessa, Alexandre Filho, Ariel e Pablo, com toda a intensidade do meu coração.

Vocês não sabem que, numa corrida, todos competem, mas apenas um ganha o prêmio? Portanto, corram para vencer. O atleta precisa ser disciplinado sob todos os aspectos. Ele se esforça para ganhar um prêmio perecível. Nós, porém, o fazemos para ganhar um prêmio eterno. Por isso não corro sem objetivo nem luto como quem dá golpes no ar. Disciplino meu corpo como um atleta, treinando-o para fazer o que deve, de modo que, depois de ter pregado a outros, eu mesmo não seja desqualificado.

1Coríntios 9.24-27

SUMÁRIO

AGRADECIMENTOS

A Deus, que me achou, lavou, vestiu e justificou; e que usa a minha vida, apesar de mim.

Ao meu editor, Maurício Zágari, pelo incentivo, pelo apoio e por transformar carvão em diamante.

À minha família, que, sabendo exatamente quem eu sou, ainda assim me ama incondicionalmente.

PREFÁCIO

A verdadeira vitória do cristão é a vida eterna, conquistada por Cristo na cruz e recebida pelo homem por meio da graça salvadora. No entanto, a jornada da vida ocorre em uma estrada pedregosa, que impõe dificuldades, obstáculos, altos e baixos a todo aquele que foi feito vencedor por Cristo. Por mais que novos céus e nova terra aguardem o salvo, ninguém está isento nesta vida terrena de encarar tribulações, tentações, amargura, culpa e outros males provenientes da queda da humanidade: é líquido e certo que problemas atravessarão nosso caminho.

No entanto, há uma boa notícia: os filhos de Deus não passam por nada disso sozinhos. Jesus segue presente a cada passo da jornada, fortalecendo, sustentando, encorajando, orientando e nos lembrando da bendita verdade: "estou sempre com vocês, até o fim dos tempos" (Mt 28.20). Com isso, somos abençoados com a possibilidade de superar cada uma das adversidades e chegar ao final da carreira com o suave sabor da superação na boca. Cada bênção de triunfo recebida nesta vida é um antegosto da vitória vindoura e final.

Alexandre Ximenes entende do assunto. Experiente soldado da causa de Cristo, detém abundante conhecimento escriturístico e rica vivência, numa mistura que tem abençoado ao longo dos anos as muitas vidas que abraçam seu pastoreio. Hoje, à frente da Catedral da Reconciliação, em Recife (PE), da Igreja Episcopal Carismática do Brasil, é dono de uma voz singular nos púlpitos, onde, com clareza, firmeza e graça, edifica muitos que caminham com Cristo debaixo da sombra acolhedora de seu gentil cajado pastoral.

Conheci Dom Ximenes em 2015, quando, após ler meu livro *Perdão total*, ele me convidou para pregar em sua igreja sobre o assunto. Ao conversar com aquele homem de voz firme, volumosa e reverberante e com outros pastores e membros da Catedral da Reconciliação, ficou claro para mim que, por sua vivência e experiência, ali estava alguém que entende como poucos o real significado de conceitos que formam os alicerces do evangelho de Cristo, como perdão, misericórdia, compaixão, restauração e, acima de tudo, *graça*.

Voltei a pregar na Catedral da Reconciliação outras vezes, nos anos seguintes. A cada novo contato com gente próxima a Dom Ximenes, sem que ele estivesse presente, tomei conhecimento de atitudes suas com relação a pessoas que vinham de um histórico de vida degradante que me fizeram admirá-lo como cristão e como pastor. Ficou claro para mim que aquele homem cheio de cicatrizes sabia como ninguém tratar das feridas alheias, trabalhar pela cura dos machucados e acompanhar os feridos até que estejam plenamente restabelecidos.

A realidade é que Dom Ximenes é o tipo de pastor que se devota a pegar ovelhas semimortas e cuidar delas até que estejam de pé, saudáveis e fortes. Ouvi com positivo assombro relatos de irmãos em Cristo de sua igreja que me contaram o que aquele homem fez por eles quando ainda andavam por um caminho de perdição e depravação. Escutei dos lábios de pessoas, hoje, modelares em sua vida com Jesus como um dia andaram por trilhas enlameadas, malcheirosas e poluídas pelo pecado e como Dom Ximenes as abraçou, as amou e foi um instrumento ativo de Deus para limpá-las e reconduzi-las aos pés do Senhor. Numa época da Igreja em que muitos líderes religiosos se preocupam mais em punir e exilar quem incorre em pecado do que em amá-los e cuidar deles, a postura bíblica faz de Alexandre Ximenes alguém a se escutar e observar com atenção.

Fico feliz que a voz de Dom Ximenes agora esteja registrada em livro, nesta sua primeira investida no universo literário. Peço a Deus que as palavras contidas nesta obra contribuam para a sua jornada com Cristo e o ajudem a encontrar caminhos onde muitas vezes parece que caminhos não há.

MAURÍCIO ZÁGARI
Teólogo, escritor, editor e jornalista

INTRODUÇÃO

"Aqui no mundo vocês terão aflições, mas animem-se, pois eu venci o mundo" (Jo 16.33). A promessa de Nosso Senhor Jesus Cristo precisa, diariamente, ecoar em nossos ouvidos, queimar em nosso coração e comandar as nossas atitudes. Sim, teremos aflições. Mas como devemos encará-las? Com ânimo! Por quê? Porque *ele venceu!* Cristo venceu a morte, o pecado, o inferno, a carne; ele derrotou cada um dos seus inimigos. Cristo é o vencedor e, ao sermos inseridos em seu reino pelo chamado de sua graça, nos tornamos herdeiros de sua vitória!

Viver não é um passeio no parque, é uma corrida de obstáculos, numa trilha de perigos que querem nos abater, derrotar, desmotivar. Essa é a verdade contida nas palavras do Mestre — mas que não param em "vocês terão aflições". Jesus prossegue em sua explanação, afirmando que, se temos motivos para ficar aflitos, temos ainda mais razões para nos animarmos! E não podemos nos esquecer daquilo que o Senhor disse imediatamente antes dessa afirmação: "Eu lhes falei tudo isso *para que tenham paz em mim*" (v. 33). Devemos ter paz nele, por meio da fé em sua soberania e em seu controle sobre cada detalhe da vida.

Ao escrever sua primeira carta aos coríntios, o apóstolo Paulo comparou nossa vida a uma disputa de atletismo.

> Vocês não sabem que, numa corrida, todos competem, mas apenas um ganha o prêmio? Portanto, corram para vencer. O atleta precisa ser disciplinado sob todos os aspectos. Ele se esforça para ganhar um prêmio perecível. Nós, porém, o fazemos para ganhar um prêmio eterno. Por isso não corro sem objetivo nem luto como quem dá golpes no ar. Disciplino meu corpo como um atleta, treinando-o para fazer o que deve, de modo que, depois de ter pregado a outros, eu mesmo não seja desqualificado.
>
> 1Coríntios 9.24-27

Aqueles irmãos gregos viviam em uma sociedade que valorizava enormemente as competições atléticas — não é à toa que a Grécia foi o berço das Olimpíadas —, portanto, quando Paulo mencionou uma "corrida", estava contextualizando a mensagem do evangelho a um entendimento cultural bastante acessível aos seus destinatários imediatos. Afinal, de corrida eles entendiam bem.

A mensagem trazia uma orientação clara, objetiva e incisiva: "Portanto, corram para vencer" (1Co 9.24). Em outras palavras, o que Paulo estava dizendo é: na corrida da vida, vocês precisam ser campeões! O evangelho de Cristo garante uma chegada bem-sucedida, por mérito da cruz, mas exige esforço e dedicação de cada atleta durante a carreira.

Nessa corrida de obstáculos, precisamos ser disciplinados e esforçados, para demonstrar por meio de nossas obras, isto é, de nossas ações e reações, que carregamos no coração a fé que salva. Não, a graça não é barata, ela pede de nós garra e empenho. A motivação maior é o "prêmio eterno" (v. 25), conquistado pelo sangue do Cordeiro, que nos impulsiona rumo à linha de chegada com confiança e a certeza de que temos um intercessor, amigo e encorajador ao nosso lado.

Não devemos correr sem objetivos nem lutar "como quem dá golpes no ar" (v. 26), mas ter a disciplina de fé que nos ajudará a superar cada obstáculo da corrida: tentações, enfermidades da alma, vícios, medos, complexos, pecados. Cada obstáculo é um treino; cada superação, um passo a menos para o lugar mais alto do pódio. Vale a pena correr, superar, avançar, pois a coroa de louros do campeão é glória eterna ao lado do Salvador.

"Disciplino meu corpo como um atleta, treinando-o para fazer o que deve" (v. 27): palavras de um homem que enfrentou todo tipo de tribulação na corrida, que se viu afligido por um espinho na carne, que foi apedrejado, perseguido e encarcerado. Que sofreu. Mas ele sabia que, em Cristo, era mais que vencedor e que, pela motivação dessa vitória eterna, seria capaz de suportar os sofrimentos e as dificuldades da vida.

Valeu a pena. Sim, valeu. Ao chegar a poucos passos da linha de chegada, o apóstolo afirmou: "Lutei o bom combate, terminei a corrida e permaneci fiel. Agora o prêmio me espera, a coroa de justiça que o Senhor, o justo Juiz, me dará no dia de sua volta" (2Tm 4.7-8). Ele terminou a corrida, com a ajuda do braço forte do seu Senhor, e pôde afirmar com segurança que permanecera fiel. Devemos nos esforçar para poder dizer o mesmo!

A boa notícia é que há uma promessa para mim e para você. Uma promessa gloriosa! Uma promessa que nos garante o lugar mais alto do pódio: "E o prêmio não será só para mim, mas para todos que, com grande expectativa, aguardam a sua vinda" (v. 8). Aleluia! Nós, que aguardamos a vinda de Cristo com ânimo, fidelidade e esperança, receberemos a coroa de justiça, o prêmio máximo!

Neste livro, encorajo você a prosseguir com fôlego e ânimo na corrida da vida, rumo ao seu lugar de campeão, de quem corre para vencer! Vamos analisar dez obstáculos que afetam muitos de nós e que, com frequência, derrubam quem não está alicerçado em Cristo. Porém, a todo aquele que confia no Senhor e deseja prosseguir com fé, destemor e garra rumo à linha de chegada, há meios de correr uma carreira de superação e triunfo. Vamos juntos nessa jornada? Então, força, perseverança e fé! Corra rumo ao prêmio! Avante!

1

VENCENDO AS TRIBULAÇÕES

Vivemos dias de lutas, dificuldades, aflições e tribulações. Essa realidade fica clara para nós, pastores, quando, durante o aconselhamento pastoral, vemos as pessoas rasgarem o coração. Apesar de todas as facilidades, da tecnologia, da informatização e dos aparentes atalhos da vida, ouso dizer que talvez vivamos uma das épocas de maior tribulação na história da humanidade. E os cristãos não estão excluídos dessa realidade.

A pós-modernidade trouxe facilidades, mas não nos privou da tribulação. Nada é mais falso, ilusório e enganador do que acreditar que o verdadeiro cristão está isento das dores. Nós nunca devemos, como cristãos, perguntar: "Para que sofremos?". Em vez disso, devemos perguntar a Deus o que devemos fazer para que soframos como Jesus sofreu, a fim de que aprendamos a andar nos passos de Jesus, já que sofrer é inevitável. Enfrentar tribulações é uma contingência da vida, e por ela passaremos ou passamos ao nosso modo.

A grande questão é: o que fazer para tirar proveito dessa situação e sair forte, abençoado e vitorioso?

O pensador cristão C. S. Lewis defendia a tese de que uma boa teoria substitui a experiência. Dizia ele que não precisamos sofrer para saber que o sofrimento dói, nem viver uma tribulação para entender que a tribulação é ruim. Ironicamente, alguns anos depois de afirmar isso, C. S. Lewis apaixonou-se por uma jovem americana e os dois se casaram. Pouco tempo depois do casamento, ela foi tomada por um câncer e morreu. Foi quando Lewis produziu algumas das reflexões mais lindas da sua vida. Ao falar aos alunos da Universidade de Oxford, ele afirmou que o sofrimento é a ferramenta com que Deus constrói o homem. Após passar por essa tribulação, Lewis entendeu que o sofrimento, ao invés de esmagá-lo, derrotá-lo e transformá-lo num queixume ambulante, abriu seus olhos para a realidade de que é possível sofrer também sob a mão de Deus.

No Calvário, Jesus tinha dois criminosos ao seu lado. Um deles, repentinamente, teve a revelação de que ali estava Deus, enquanto o outro tentou escapar do sofrimento. E o que se apresenta ali é a verdade de que os dois sofreram, permaneceram na cruz e morreram crucificados. A diferença é que um sofreu com Jesus e o outro sofreu sem Jesus. Um experimentou as dores da vida, nos momentos finais da existência, com a consciência revelada de que o reino de Deus chegara. Já o outro experimentou as mesmas dores, as mesmas agonias, o mesmo sofrimento, o mesmo quadro, mas escolheu, de forma blasfema, viver os últimos instantes da vida sem Jesus. Portanto, o que a Palavra de Deus nos ensina é que sofrer com Cristo é o caminho da sabedoria. Devemos entender isto: que Deus está conosco por maior que seja a nossa dor.

Alguns anos atrás, quando eu trabalhava na Visão Nacional de Evangelização (VINDE), visitamos um hospital na cidade de Niterói (RJ). Ali havia uma jovem na flor da idade, cujo corpo estava sendo assolado por um câncer. Ela estava olhando a morte nos olhos, com dores horríveis. Em meio àquela situação, a jovem resolveu escrever um diário, no qual foi registrando todos os dias a sua caminhada em direção ao fim. Quando já não podia escrever, porque a mão trêmula não tinha mais forças para isso, com o restinho de voz que tinha ela começou a ditar para alguém da família a sua experiência.

Portanto, o que a Palavra de Deus nos ensina é que sofrer com Cristo é o caminho da sabedoria. Devemos entender isto: que Deus está conosco por maior que seja a nossa dor.

Depois que aquela jovem partiu para a eternidade, tivemos acesso àquele diário. Eu me lembro de quando o pastor Caio Fábio abriu aquele diário e começou a ler. Lágrimas grossas brotavam de seus olhos. Quando saímos de onde estávamos, eu lhe perguntei o que o havia tocado tanto, e ele me respondeu: "Aquela jovem estava sofrendo dores indescritíveis, sabendo o que iria acontecer. Porém, em nenhuma página do diário encontrei uma palavra de queixa, protesto, reclamação ou questionamento a Deus. Antes, o diário dessa moça transborda de louvor, glória e exaltação ao nome de Jesus de Nazaré".

Quatro verdades

Ao escrever sua segunda carta aos coríntios, em certo trecho Paulo usou dez vezes palavras cognatas do verbo "encorajar". Isso já seria suficiente para que associássemos a dor do sofrimento à verdade bíblica de que, para cada agonia, Deus tem um encorajamento, um afago e um conforto para a nossa vida. A grande questão não é evitar sofrer; mas com quem sofrer, por que sofrer, como reagir ao sofrimento. Afinal, sofreremos de qualquer jeito! A sabedoria está em optar por viver essa experiência com Jesus e não sem ele. Veja:

> Eu, Paulo, chamado pela vontade de Deus para ser apóstolo de Cristo Jesus, escrevo esta carta, com nosso irmão Timóteo, à igreja de Deus em Corinto e a todo o seu povo santo em toda a Acaia.
>
> Que Deus, nosso Pai, e o Senhor Jesus Cristo lhes deem graça e paz.
>
> Louvado seja Deus, Pai de nosso Senhor Jesus Cristo, Pai misericordioso e Deus de todo encorajamento. Ele nos encoraja em todas as nossas aflições, para que, com o encorajamento que recebemos de Deus, possamos encorajar outros quando eles passarem por aflições. Pois, quanto mais sofrimento por Cristo suportarmos, mais encorajamento será derramado sobre nós por meio de Cristo. Mesmo quando estamos sobrecarregados de aflições, é para o encorajamento e a salvação de vocês. Pois, quando somos encorajados, certamente encorajaremos vocês, e então vocês poderão suportar pacientemente os mesmos sofrimentos que nós. Temos firme esperança de que, assim como vocês participam de nossos sofrimentos, também participarão de nosso encorajamento.
>
> Irmãos, queremos que saibam das aflições pelas quais passamos na província da Ásia. Fomos esmagados e oprimidos além da nossa capacidade de suportar, e pensamos que não sobreviveríamos.
>
> 2Coríntios 1.1-8

A leitura dessas palavras de Paulo aponta para quatro verdades em relação ao sofrimento. Em primeiro lugar, o texto nos mostra que todos sofremos em decorrência de Deus permitir que enfrentemos tribulações. É vontade de Deus. Evidentemente, a vontade primordial de Deus é que não houvesse sofrimento, mas a realidade da desobediência, do pecado que provocou a queda espiritual, moral, psicológica e emocional, em todos os sentidos e em todas as dimensões da vida humana, produziu sofrimento: a terra sofreu, o homem sofreu, os animais sofreram, os predadores apareceram... toda uma cena de tribulação surgiu sobre a terra. No entanto, é maravilhoso vermos a tessitura da mão de Deus trabalhando em meio ao sofrimento e realizando o plano que ele tem para a nossa vida e para o louvor do seu nome.

Deus permite a tribulação porque ela constrói. O verdadeiro cristão nunca sai da tribulação derrotado. A têmpera dos homens de Deus do passado foi construída no fogo da fornalha, na forja da tribulação. Ainda assim, as agonias jamais os abateram. Sofreram, mas souberam, como ostras, produzir pérolas em meio às dores, e deixaram para a humanidade o legado de que, sofrendo ou não sofrendo, o importante é estar com o Senhor Jesus Cristo. É por meio da tribulação que Deus nos transforma para melhor. E Deus sabe o que é sofrimento, porque Jesus sofreu.

O vencedor do Prêmio Nobel de literatura Elie Wiesel, sobrevivente dos campos de concentração nazistas, escreveu uma frase lacônica, fria, que dizia: "Naquele campo de concentração, não morreu apenas a minha família, morreu o meu Deus". Uma das perguntas que Wiesel levantava é a seguinte: "Onde estava Deus?". Certo dia, ao fazer essa pergunta em uma universidade alemã, uma jovem levantou-se corajosamente e lhe respondeu: "Deus estava no mesmo lugar em que se encontrava quando Jesus sofreu as agonias da cruz do Calvário. Ele estava no mesmo local em que se encontrava quando viu o próprio Filho morrer por injustos, sofrer por pecadores, dar a vida por gente absolutamente perdida". Wiesel não teve como argumentar. Assim como ele, devemos aprender que Deus permite tribulações para a construção de um novo ser humano em nós.

A têmpera dos homens de Deus do passado foi construída no fogo da fornalha, na forja da tribulação. Ainda assim, as agonias jamais os abateram. Sofreram, mas souberam, como ostras, produzir pérolas em meio às dores.

Em segundo lugar, devemos saber que todas famílias têm suas tribulações. A Bíblia nos mostra sofrimentos que enfrentaram a família de Abraão, a de Ló, a de Isaque, a de Jacó, a de José, a de Joquebede, a de Lázaro, a de Jesus. Deus sabe o que é sofrimento. As famílias tementes ao Todo-poderoso sofrem.

Em terceiro lugar, sempre que a tribulação vem, Deus manda encorajamento: "Ele nos encoraja em todas as nossas aflições" (v. 4). Deus usa tribulações para abençoar, fortalecer e unir, criando relacionamentos significativos, não só relacionamentos festivos. É inegável o fato de que nas tribulações Deus sopra o cicio manso do encorajamento, dos afagos, do afeto, enquanto nos diz: "Não temas. Eu estou contigo. Sempre irei adiante de ti". Não há vale aonde o Senhor não vá. "Mesmo quando eu andar pelo escuro vale da morte, não terei medo, pois tu estás ao meu lado. Tua vara e teu cajado me protegem" (Sl 23.4). Quem sofre com Jesus pode dizer, como o salmista: "minha língua é como a pena de habilidoso escritor" (Sl 45.1).

Creio que uma das coisas que mais irritam Satanás é a capacidade do cristão de saber sofrer, de olhar o sofrimento não com os olhos do diabo, mas com os olhos de Jesus de Nazaré. Sabe o que a Bíblia diz a respeito da tribulação vivida por Jesus? Que, por causa da alegria que o esperava, "ele suportou a cruz sem se importar com a vergonha" (Hb 12.2). Os olhos de Cristo não estavam na cruz, estavam nos céus. Seus olhos não estavam nos cravos, mas na Nova Jerusalém; não estavam na realidade de agonia, mas na promessa que era mais certa do que o presente que ele vivia.

Em quarto lugar, Deus quer transformar quem sofre em fonte e veículo de transformação para outras pessoas. Poucas coisas nos consolam mais do que, em meio ao nosso sofrimento, alguém chegar e dizer: "Ânimo, eu já passei por isso! Ânimo, eu já vivi isso! Coragem, eu tive vitória!". Descobrimos na solidariedade dos que sofreram e dos que sofrem que não estamos sozinhos, e que sofrimento não é algo exclusivo de minha história, meu coração, minha vida. A palavra de encorajamento chega!

Você jamais estará só

Todos gostamos de ouvir um testemunho. Que maravilha quando um irmão chega e relata os sofrimentos e as agonias que enfrentou e venceu! Glorificamos a Deus e o exaltamos mediante o relato de nosso irmão. Mas a pergunta que se faz é muito simples: e os custos para a construção desse testemunho? Depois que o edifício está acabado, pronto, construído, tudo é só alegria. Temos de entender que, muitas vezes, nossa dor faz parte de um processo traçado por Deus para que um dia sejamos consoladores daqueles que sofrem e possamos dizer aos que vivem em agonia: "Coragem! Olhe para a frente!".

Conheço um homem chamado Jairo que durante muitos anos foi diretor de uma grande empresa automobilística no Brasil. Ele tinha um filho que foi pioneiro de bandas na igreja brasileira, Jairinho, do grupo Elo. Certo dia, Jairinho ia com a esposa e duas filhinhas para a cidade de Atibaia (SP), rumo à Estância Palavra da Vida, onde ele dirigiria o louvor. No caminho, houve um acidente terrível: uma caçamba carregada de areia caiu de uma colina em cima do carro de Jairo e toda a família perdeu a vida ali. Alguns anos depois, Jairo foi à cidade de Governador Valadares (MG) a fim de pregar, e alguém lhe perguntou se ele poderia fazer uma visita a uma senhora que havia perdido o filho em um acidente automobilístico. Jairo concordou.

Temos de entender que, muitas vezes, nossa dor faz parte de um processo traçado por Deus para que um dia sejamos consoladores daqueles que sofrem e possamos dizer aos que vivem em agonia: "Coragem! Olhe para a frente!".

Chegando lá, ele começou a consolar a mulher, e encorajá-la. Em determinado momento, ela não aguentou: olhou nos olhos de Jairo e disse: "O senhor só diz isso porque não viveu o que estou vivendo. O senhor só me diz essas coisas bonitas e agradáveis, porque não sabe a dor que eu sinto". Calmamente, ele respondeu: "Eu sei, sim. Eu preguei no sepultamento de meu filho, minha nora e minhas duas netas. Não estou aqui com teoria, minha senhora. Estou aqui lhe dizendo que Jesus consola, que ele encoraja, e que seu conforto está além de nosso entendimento".

A tribulação que você enfrenta produzirá resultados muito bons na sua vida. Não estou aqui querendo animá-lo com conversa fiada, mas afirmo isso com base na Palavra de Deus: "E sabemos que Deus faz todas as coisas cooperarem para o bem daqueles que o amam e que são chamados de acordo com seu propósito" (Rm 8.28).

Um dos dias mais significativos para o Senado dos Estados Unidos foi quando os senadores receberam a visita do pastor e escritor romeno Richard Wurmbrand, fundador do ministério A Voz dos Mártires. Certo dia, a polícia chegou à sua casa e o convidou para ir até a delegacia. Um dos policiais disse à esposa dele, Sabina: "Fique tranquila que daqui a duas horas, no máximo, ele estará de volta". Richard e Sabina só voltaram a se ver depois de quatorze anos, pois ele foi detido devido à sua fé. Durante esse tempo, ele sofreu como poucos, torturado física, moral e emocionalmente. Anos depois, naquela visita que fez ao Senado Americano, ele foi para o centro do plenário, tirou a camisa, e expôs dezoito profundas cicatrizes. Silenciosamente, os senadores foram se colocando de pé. Aqueles homens, habituados a lutas e embates, ergueram-se, cabisbaixos. Muitos choraram abundantemente. Em 2001, Richard morreu e, seis meses depois, Sabina partiu para a eternidade. O sofrimento e a tribulação daquele homem, em vez de produzirem amargura, desespero, derrota, abatimento, medo, insegurança, depressão e tendência suicida, provocou em Richard Wurmbrand a imagem gloriosa de Jesus de Nazaré.

Ânimo! Força! Por mais escura que seja a noite, Deus está com você. Jesus não abre mão de você! Ele o acompanha. Se, muitas vezes, Deus não evita que você entre na cova dos leões, ele sempre entra com você. Pode ser que ele não evite que você seja jogado numa fornalha de fogo ardente, mas entra com você nela. Por você, o Todo-poderoso abre o mar, faz comida cair do céu.

A certeza maior é que, apesar de toda dor, você jamais estará só, porque o Senhor será com você. Eu sei que você enfrenta tribulações e agonias, mas quero convidá-lo a crer que Deus está construindo algo muito bonito em sua vida, ainda que esteja doendo. Seja um arauto da esperança, e não da derrota. Extraia pérolas das suas dores. Cante um hino de louvor. Agradeça, em lugar de viver se queixando e reclamando. Tenha coragem, e não medo. Lembre-se de que aquele que é, que era e que há de vir diz: "estou sempre com vocês, até o fim dos tempos" (Mt 28.20).

Se, muitas vezes, Deus não evita que você entre na cova dos leões, ele sempre entra com você. Pode ser que ele não evite que você seja jogado numa fornalha de fogo ardente, mas entra com você nela.

Vamos orar

Suplicamos, ó Pai, a tua graça sobre a nossa vida. Que tu sejas o Senhor desta hora, que o teu Espírito tome o controle absoluto de minha vida. Que tudo o que expusemos neste capítulo seja palavra do céu para o nosso coração. Nós nos escondemos à sombra da cruz e nos entregamos em segurança e confiança nos teus braços, que tudo podem. Fala ao nosso coração. Responde-nos nas questões mais íntimas da nossa vida, e dá-nos a bênção de sermos revigorados, cheios do teu poder, prontos para enfrentar e vencer as lutas que surgirem à nossa frente. É o que pedimos com gratidão. Em nome de Jesus. Amém.

2

VENCENDO AS TENTAÇÕES

Todos somos tentados. Felizmente, tentação não é pecado; afinal, o próprio Filho de Deus teve sua cota de tentações. A tentação é uma prova, um teste. O grande mal consiste em ceder diante daquilo que nos tenta. É por isso que pedimos, na oração do Pai-nosso: "não nos deixes cair em tentação" (Mt 6.13). Seria absurdo, ilógico e antinatural se orássemos, dizendo: "não deixes que sejamos tentados". O evangelho de Mateus revela um episódio da vida de Jesus em que tomamos conhecimento de que ele foi duramente tentado.

> Em seguida, Jesus foi conduzido pelo Espírito ao deserto para ser tentado pelo diabo. Depois de passar quarenta dias e quarenta noites sem comer, teve fome.
>
> O tentador veio e lhe disse: "Se você é o Filho de Deus, ordene que estas pedras se transformem em pães".
>
> Jesus, porém, respondeu: "As Escrituras dizem:
>
> 'Uma pessoa não vive só de pão, mas de toda palavra que vem da boca de Deus'".

Então o diabo o levou à cidade santa, até o ponto mais alto do templo, e disse: "Se você é o Filho de Deus, salte daqui. Pois as Escrituras dizem:

'Ele ordenará a seus anjos que o protejam. Eles o sustentarão com as mãos, para que não machuque o pé em alguma pedra'".

Jesus respondeu: "As Escrituras também dizem:

'Não ponha à prova o Senhor, seu Deus'".

Em seguida, o diabo o levou até um monte muito alto e lhe mostrou todos os reinos do mundo e sua glória. "Eu lhe darei tudo isto", declarou. "Basta ajoelhar-se e adorar-me."

"Saia daqui, Satanás!", disse Jesus. "Pois as Escrituras dizem: 'Adore o Senhor, seu Deus, e sirva somente a ele'."

Então o diabo foi embora, e anjos vieram e serviram Jesus.

Mateus 4.1-11

É interessante percebermos que Jesus foi levado a um deserto para ser tentado, isto é, ele foi tentado num ambiente propício, onde as fragilidades humanas estariam acentuadas, onde as circunstâncias conspiravam para que a sua resistência fosse minada. As condições nas quais ele foi tentado eram adequadas para que a natureza humana cedesse. A razão para isso é que o deserto é um lugar seco, que leva qualquer um a sentir sede, e sede significa carência, vulnerabilidade, guarda aberta e, muitas vezes, falta de forças para reagir. As pessoas que vivem suas carências pessoais não satisfeitas estão sujeitas aos perigos da tentação. Elas são muito mais tentadas na caminhada e, debilitadas pela carência que ali se instala, frequentemente têm uma enorme dificuldade para resistir.

O deserto é, também, um lugar infestado por feras e animais peçonhentos, isto é, perigos e ameaças. Quando estamos sob pressão, ameaçados por riscos evidentes, nós nos tornamos muito mais frágeis à tentação, porque os perigos nos levam ao desespero de aceitar qualquer solução que nos seja proposta, venha de onde vier, tenha a origem que tiver. O que importa é que haja solução.

Além disso, o deserto é um lugar sem caminhos visíveis. É impressionante quando vemos *rallies*, em que automobilistas são obrigados a seguir por caminhos que o olho humano não enxerga nada. Tudo o que se vê é a imensidão do deserto. Não há uma pista, uma rodovia ou uma estrada balizada. Portanto, quem está no deserto torna-se ansioso por encontrar caminhos que o levem para fora dali. Se a tentação apresentar um rumo viável, o risco de ceder a ela é grande. Quando nos sentimos abafados, existencialmente cercados e acuados, corremos perigo de correr para qualquer porta que se abra.

E não podemos nos esquecer de que o deserto é um lugar solitário, um ambiente propício para se ouvir qualquer coisa, porque o silêncio é impressionante. Em uma viagem que fiz, tive a oportunidade de tomar chá na tenda de um jovem beduíno em um deserto. Ele, com um pequeno tambor de pele de camelo na mão, começou a me dar explicações sobre sua vida. Lá para as tantas, ele me disse: "O silêncio no deserto é impressionante". O rapaz começou a batucar no tamborzinho e me perguntou: "O senhor acha que este som será ouvido a que distância daqui?". E eu lhe respondi que não fazia ideia. Diante disso, ele disse: "Esta é a

Se a tentação apresentar um rumo viável, o risco de ceder a ela é grande. Quando nos sentimos abafados, existencialmente cercados e acuados, corremos perigo de correr para qualquer porta que se abra.

forma que tenho para chamar os amigos para que venham tomar chá comigo. Este pequeno batuque pode ser ouvido a dez quilômetros de distância daqui, porque o silêncio do deserto é tremendo e o som é levado a uma distância muito grande". Quando estamos no deserto, qualquer som é volumoso. Qualquer insinuação, qualquer sugestão na mente, quaisquer ideias tomam um volume muito grande, porque o ambiente em que estamos torna-se adequado para que vozes que até então eram inaudíveis repentinamente tornem-se bem distintas.

Na tentação de Jesus, é interessante lembrarmos que quem o levou para ser tentado foi o Espírito Santo. Portanto, se Deus nos leva para o deserto é porque aquele é um lugar pedagógico, que nos ensina e molda. Há muito mais construção de caráter na vida de uma pessoa do que no oba-oba da vida, nas facilidades da festividade. A pessoa que realmente é convertida entra no deserto e, quando sai, está fortalecida, fortificada, robustecida espiritual e psicologicamente.

As três dimensões da tentação

O fato de Jesus ter sido levado pelo Espírito Santo me ensina que o deserto não é essencialmente um lugar de abandono e derrota, mas pode ser transformado por Deus em ambiente de conquista, bênção e alegria. A tentação de Jesus foi tridimensional, isto é, ocorreu em três dimensões que resumem todas as tentações que eu e você sofremos.

A primeira dimensão da tentação é a que 1João 2.16 chama de "desejo intenso por prazer físico", ou, em traduções mais arcaicas, "concupiscência da carne". Essa é uma tentação que se manifesta de forma muito sensorial. Há pessoas que resistem até a chegada, até o despertar dos sentidos. Outras, oferecem resistência e são fortes; por essa razão, podem combater as tentações até que sintam algo. É a fragilidade dos sentidos que contribui para nos derrubar.

A segunda dimensão da tentação se manifestou pela visão: é o "desejo intenso por tudo que vemos", ou "concupiscência dos olhos". Refere-se a todo tipo de inclinação ao pecado proporcionada pelo que enxergamos, seja na cobiça sexual, no consumismo que não resiste a uma vitrine e tantos outros meios de incorrer em erro a partir do que nossa visão capta. Por isso é preciso muito cuidado com o que pomos diante de nossos olhos.

A terceira dimensão da tentação, foi o que Satanás usou para tentar derrubar Jesus: "o orgulho de nossas realizações e bens", ou "a soberba da vida". Essa dimensão se manifesta quando a pessoa começa a se sentir muito importante e passa a crer que tudo gravita em torno dela. O indivíduo que cede a essa tentação se vê como a média ponderada do universo, como se tudo começasse e terminasse nele. É o orgulho, a arrogância, a soberba. Não é à toa que se combate tanto esse pecado, pois ele é destruidor: "O orgulho precede a destruição; a arrogância precede a queda" (Pv 16.18). Observe que, no episódio da tentação de Jesus, Satanás trabalha três aspectos.

Primeiro, ele diz ao Senhor: "Se você é o Filho de Deus, ordene que estas pedras se transformem em pães". Ora, o ambiente era próprio, pois Jesus estava sem comer havia quarenta dias. A proposta de receber pão era uma beleza. Segundo, a tentação só é tentação quando podemos transformá-la em realidade. De nada adiantaria Satanás me dizer: "Alexandre, transforme essas pedras em pães!". Eu não posso fazer isso e, se não há possibilidade da concretização da proposta sedutora, não há tentação. O que faz a tentação ser mortal é a possibilidade de se viabilizar o que está sendo sugerido. Quando Satanás diz a Jesus para transformar as pedras em pães, sabia que ele tinha poder para isso. Portanto, eu e você sempre seremos tentados dentro daquilo que podemos fazer. Não seremos tentados em questões extraordinárias, extraterrestres, espetaculares, absurdas. É no cotidiano, no dia a dia, na caminhada diária, que as ofertas são postas diante de nós.

Segundo, Satanás diz a Jesus: "Se você é o Filho de Deus, salte daqui". Detalhe: eles estavam no local mais alto do templo, a setenta e cinco metros de altura. Ora, Jesus poderia pular de alturas muito maiores, se quisesse, e certamente seria socorrido ou chegaria intacto ao chão. No entanto, o que Satanás propõe é uma espécie de atalho, de comodismo: "Se você é o filho de Deus, pratique algo totalmente insensato". No fim das contas, o que o inimigo está dizendo é que cristãos são blindados: "Faça o que quiser de errado, pois Deus conserta". O que Jesus mostra na reação e na resistência é que evangelho é sensatez, bom senso, conduta equilibrada, centralidade. Não é porque eu tenho fé que eu vou praticar atos insensatos ou entrar em aventuras. Não é porque tenho fé que vou cometer riscos desnecessários na vida, na ilusão de que minhas aventuras serão endossadas por Deus.

O que Jesus mostra na reação e na resistência é que evangelho é sensatez, bom senso, conduta equilibrada, centralidade. Não é porque eu tenho fé que eu vou praticar atos insensatos ou entrar em aventuras.

Terceiro, Satanás apela para o que há de mais sutil na natureza humana: a ambição. Ele leva o Senhor a um alto monte e lhe mostra os reinos do mundo, o sistema, os impérios, as organizações, o poder — financeiro, econômico e político —, os grandes líderes, as instituições seculares, a engrenagem que faz o *status quo* existir como está aí, e lhe diz: "Olha, vou lhe propor uma sociedade. Venha comigo e eu até deixo você ser chefe". O preço? "Ainda que seja por uma fração de segundos, dobre seus joelhos diante de mim. Flexione estas pernas. Não há ninguém aqui; afinal de contas é deserto, meu amigo. Nós só somos observados por areia e pedras. Ninguém verá nada! Ninguém vai perceber. Ninguém vai notar. Tudo será muito rápido. Só isso e o acordo está feito." A questão é que, quando estamos dispostos a negociar nossa adoração, a miséria se instala.

Caminhos para vencer as tentações

Somos expostos frequentemente às tentações que Jesus enfrentou. Evidentemente, com diferenças. A questão é: como vencê-las? A Bíblia nos aponta os caminhos na própria experiência de Jesus. É o Mestre quem nos ensina a partir da própria resistência.

O primeiro caminho que ele aponta para vencermos as tentações, é o da confiança no Pai. Ele segurou na mão do Pai. As propostas, as induções, as sugestões do diabo não abalaram a confiança de Jesus. Ele confia. Ele sabe em quem crê. Ele o conhece. Cristo tem sua convicção existencial. O meio de eu e você vencermos as tentações é investindo a nossa confiança em Deus. O que segura a nossa barra na hora da tentação é o grau da confiança que depositamos em Deus.

O segundo caminho é o do conhecimento das Escrituras. A Palavra de Deus é a espada do Espírito Santo, que Jesus usa para dar três estocadas em Satanás. A cada uma das sugestões tentadoras, Jesus responde afirmando: "As Escrituras dizem". Se desejamos vencer as insinuações malignas para a destruição da nossa vida, temos de aprender a manejar a espada do Espírito Santo, que é a Palavra de Deus.

O terceiro caminho para derrotar as tentações é o da resistência ao diabo. Observe que não foi Satanás quem acuou Jesus, pelo contrário, o Senhor partiu para o ataque. A Bíblia nos ensina: "Portanto, submetam-se a Deus. Resistam ao diabo, e ele fugirá de vocês" (Tg 4.7). Não somos nós que fugimos, que saímos por aí correndo com o inimigo atrás; é o contrário. Ele é quem foge. Ele é quem se desespera, quem bate em retirada.

O quarto caminho é o do temor de Deus. Jesus temeu o Pai, isto é, levou o Pai a sério. A expressão "temor de Deus" não significa ter medo de Deus, mas considerar Deus seriamente. É não brincar com ele. Não transformar Deus em amuleto, em pé de coelho. Não transformar Deus em coisas mágicas. Deus não é nada disso, é uma pessoa que deseja manter um relacionamento comigo e com você. Levar Deus a sério é olhar para essa dimensão da caminhada e dizer: "Eu contigo e tu comigo; vamos avante em nome de Jesus".

Agora, perceba a sutileza de Satanás. Se você ler as três tentações, descobrirá que, no fim das contas, o que ele queria era outra coisa. Ele diz assim: "Se você é o Filho de Deus...". Esse condicional está em todas as tentações. O que ele queria era instalar a dúvida contra o relacionamento do Filho com o Pai. O que Satanás almejava era que Jesus dissesse para si mesmo: "Vou provar para esse cara que sou Filho de Deus". A questão é que quem é não precisa provar... é!

O que Satanás desejava é que a mente de Jesus fosse atormentada pela dúvida, porque quem vive só de dúvida experimenta o inferno da alma. O diabo queria que Jesus entrasse naquela de dizer: "Sim, sou Filho de Deus, mas... será que sou mesmo? Ele é meu Pai, mas... será que é mesmo?". Esse era o objetivo final da tentação de Cristo. E, em última análise, de toda tentação: nos distanciar do Pai.

A tentação de Jesus aconteceu em seguida ao seu batismo. Perceba que, quando ele é batizado por João no rio Jordão, o Espírito Santo aparece na forma corpórea de uma pomba e uma voz dos céus, a voz do Pai, se faz ouvir com a seguinte declaração: "Este é meu Filho amado, que me dá grande alegria" (Mt 3.16). O Pai não disse "este será" ou "este pode vir a ser". Não! O Pai afirmou: "*este é!*". Dias depois, vem a voz do diabo, questionando aquela afirmação: "Será que é?". "Se de fato é, faça isto!" Percebe a sutileza?

O diabo queria que Jesus entrasse naquela de dizer: "Sim, sou Filho de Deus, mas... será que sou mesmo? Ele é meu Pai, mas... será que é mesmo?". Esse era o objetivo final da tentação de Cristo. E, em última análise, de toda tentação: nos distanciar do Pai.

O mesmo ocorre conosco em nossas tentações. O indivíduo ouve a Palavra de Deus e enche-se de esperança e alegria. Sai do culto inflado de certezas: "Deus disse! Eu vou vencer". Aí... chega a vozinha e diz: "Será que foi Deus mesmo? Você tem certeza? Você não acha que isso tudo é articulação humana? Você não acha que tudo isso é coisa do imaginário, força da mente, coisa da psique?". Se der ouvidos a essa voz, a pessoa começará a cambalear, a pôr em dúvida as afirmações de Deus. É a mesma voz que trabalhou no Jardim do Éden. "Foi assim que Deus disse?" "Foi" "Não... não é bem assim."

Embora as tentações se apresentem de formas variadas, todas têm o mesmo objetivo: levar-nos a descrer da Palavra de Deus. A duvidar. E aí entram os argumentos, o racionalismo humano, a lógica fundamentada em premissas falsas. E muitos vão chegando à conclusão de que "Deus? Deus coisa nenhuma!". Outros entram em parafuso, porque começam a questionar-se, dizendo: "Será que eu me converti de fato? Será que não foi uma emoção? Aquilo foi apenas um arrepio. Será que de fato fui alcançado pela graça?". Se as artimanhas de Satanás alcançam seu objetivo, em pouco tempo as dúvidas começarão a se empilhar umas sobre as outras: "Será que meus pecados já atingiram o limite de Deus?"; "Será que ele ainda é meu Pai?"; "Será que ele gosta de mim?". Reaja, dizendo: "Sou filho, porque quem me disse isso foi aquele que disse: 'Eu Sou!'".

Jesus venceu as tentações porque sabia que comunhão é mais importante que pão, que temor ao Senhor é mais importante que proteção, que integridade é mais importante que poder e que aquele que é de Deus não anda pelo que sente, não anda pelo que vê e não anda pelo que toca: anda pela fé.

Se você tão somente andar pela fé e entregar seu caminho ao Senhor, ao ser tentado, olhará para si mesmo e se perguntará: "O que houve? Tirei de letra essa tentação que sempre me derrubou! Eu, que vivia querendo morrer, agora sou campeão de vida! Eu, que vivia querendo briga e vingança, agora quero o bem dos outros".

Não importa qual seja a tentação, você pode vencê-la, se andar pela fé. Seja uma tentação dos sentidos, seja libertinagem, sejam vícios, seja desonestidade financeira, seja tentação para negociar a verdade, seja tentação para conseguir sucesso a qualquer custo, seja ela qual for... você pode vencê-la! Não barganhe com o inimigo. Não tente entrar em acordos com o maligno. Quem vence a tentação não é quem se faz de forte, é quem tem a humildade de admitir a fraqueza e pedir socorro a Deus.

Vamos orar

Pai querido, aqui estou, de guarda aberta, capitulando de toda resistência. Quero confessar que muitas vezes a tentação é mais forte e mais poderosa do que a minha força de resistência. Mas tu conheces o meu coração e sabes o apetite da minha alma, de viver para a tua glória e para o teu louvor, de caminhar em integridade, em compromisso e em santidade. Por isso, suplico pelo teu socorro. Vem, ó Pai, e traze para cada um de nós a força de que necessitamos. Enche-me do teu Espírito, de tal forma que tenha forças para resistir no dia mau. Capacita-me, para que possa recusar as tentações e vencê-las, em nome do Senhor Jesus. Que, ó Deus, a tua mão esteja sobre mim. Faze isso para o teu louvor e para a tua glória, em nome do Senhor Jesus. Amém.

3

VENCENDO A AMARGURA

Não podemos ingerir ressentimentos e mantê-los por muito tempo sem tomar nenhuma atitude. Caso algum sentimento de amargura encontre morada em nossa alma, devemos nos esforçar para eliminá-lo, pois não fomos criados para conviver com esse sentimento tóxico, assim como não fomos feitos para digerir pedaços de vidro. A amargura é a causa de muitos sofrerem problemas que jamais serão resolvidos enquanto ela não for trabalhada no coração e totalmente eliminada de nosso sistema.

A amargura tem razão de ser. Ela não surge espontaneamente, mas é o efeito ou a reação a ações perpetradas contra a nossa vida. A Palavra de Deus é rica em exemplos de situações em que pessoas poderiam abraçar a amargura como estilo de vida, mas lidaram bem com as situações e não admitiram viver envenenados pelo amargor das circunstâncias. Um dos mais significativos é José, filho de Jacó. Analisando a vida de José, descobrimos cinco causas potenciais de amargura.

Primeiro, ele foi odiado e rejeitado pela própria família, e poucas dores doem mais do que essa. Pessoas rejeitadas sofrem profundas feridas emocionais. Ele não somente foi rejeitado, também foi traído, vendido como um objeto qualquer. Segundo, ele foi censurado e desacreditado pelo próprio pai (Gn 37.10). Influenciado por seus outros filhos, Jacó censurou injustamente José. Terceiro, José foi caluniado e difamado por uma mulher adúltera (Gn 39.17-18).

Ele chega ao Egito como mercadoria, vai trabalhar na casa de Potifar, um militar de alta patente, e a esposa de Potifar tenta seduzir José. Quando ele a recusa, a mulher diz ao marido que o rapaz tentou estuprá-la. Assim, o moço é vítima de ira, revanchismo e crueldade, sendo inocente. Sermos caluniados e difamados provoca dores enormes. Quarto, José é lançado na prisão. Ficar injustamente nas masmorras escuras e úmidas é motivo mais do que compreensível para alguém tornar-se profundamente ressentido. Quinto, ele foi esquecido pelo copeiro a quem tanto ajudou (Gn 40.23). Se há algo que produz feridas profundas é sermos tratados com ingratidão por alguém a quem ajudamos.

A dor do desprezo, da rejeição, da calúnia, da ingratidão e outras posturas negativas pode rapidamente converter-se em amargura, se não for tratada. Não nos iludamos, a vida é dura! Situações injustas e imerecidas acontecem a todos nós. Se as emoções e as feridas resultantes dessas circunstâncias não forem trabalhadas, mas somente reprimidas, você terá um dossiê interior doloroso, perigoso e que vai trazer males terríveis para a sua vida. Até mesmo no organismo há resultados nefastos, porque os males emocionais são somatizados. Porém, isso é evitável pela via do perdão.

Pela graça de Deus, apesar de todas as dores José foi capaz de manter o coração livre de amarguras, incredulidade, ódio, inveja e medo. Não permitiu que os espinhos do passado demorassem a sair. Ele poderia viver ressentido; afinal, José não era de plástico, metal nem titânio, mas de carne e osso. José tinha nervos como qualquer um de nós.

A dor do desprezo, da rejeição, da calúnia, da ingratidão e outras posturas negativas pode rapidamente converter-se em amargura, se não for tratada. Não nos iludamos, a vida é dura! Situações injustas e imerecidas acontecem a todos nós.

Sabe o que é mais triste na amargura? Ela não é explícita. Às vezes, não a enxergamos no rosto dos amargurados, pois nossas feições dissimulam, vestem uma máscara que engana.

> Esforcem-se para viver em paz com todos e procurem ter uma vida santa, sem a qual ninguém verá o Senhor. Cuidem uns dos outros para que nenhum de vocês deixe de experimentar a graça de Deus. Fiquem atentos para que não brote nenhuma raiz venenosa de amargura que cause perturbação, contaminando muitos.
>
> Hebreus 12.14-15

A amargura é uma raiz e que cresce para dentro e para baixo. Uma raiz não se expõe, em geral corre por dentro da terra, longe dos olhos. A Bíblia diz que a amargura é raiz que se enterra, que se enfia, que muitos não veem, que às vezes na própria família não se percebe, mas o travesseiro esquenta durante a noite e essas raízes se enfiam peito adentro, produzindo um inferno que só quem vive sabe.

Seis estratégias para vencer a amargura

José venceu a amargura e, se ele fez isso, qualquer um de nós pode usar as estratégias que ele utilizou para derrotar todo e qualquer indício de amargor em nossa alma. Analisando a narrativa das agruras de José, aprendemos seis posturas para atravessar as circunstâncias negativas sem tornar-se vítima do rancor e do ressentimento.

Primeiro, *José jamais duvidou do amor e da soberania de Deus* (Gn 50.20). Ele estava firmemente convencido de que o Senhor é Todo-poderoso e Senhor de sua vida. José adotava uma atitude positiva diante das ofensas. Ele estava certo do amor e do controle divinos em cada incidente. Ele sabia que Deus usaria cada limão para fazer uma refrescante limonada. Tudo o que ele precisava era responder adequadamente aos desafios. José compreendia os propósitos definidos por Deus, isto é, que nenhum acontecimento ocorre sem a permissão do Senhor.

Um amigo meu foi jogador de futebol profissional, tendo atuado em grandes clubes do Brasil, França e Espanha. Nos anos 1980, ele jogava no Grêmio, quando houve uma decisão do campeonato brasileiro entre o seu time e o São Paulo. O primeiro jogo era na capital gaúcha e o segundo, na capital paulista. No primeiro, uma partida difícil, faltavam três minutos para acabar o jogo e houve um pênalti a favor do Grêmio. Mandaram que esse amigo cobrasse o pênalti. A torcida inteira ficou em pé. Silêncio. Ele correu, bateu e... chutou para fora. O silêncio transformou-se em ira, com gritos furiosos da torcida gaúcha.

Terminado o jogo, ele foi dar entrevista à TV Globo. Um comentarista, que era pai de santo, começou a ironizar, dizendo: "E aí, cadê o seu Deus? Onde anda o seu Deus? Você é tão fiel, você fala tanto nele, sempre testemunha dele... então, por que seu Deus não o ajudou agora?" E completou: "Se você tivesse passado no terreiro que eu frequento, teríamos feito alguma coisa e eu garanto que você não teria perdido esse pênalti". Meu amigo respondeu: "Olha, não sei quando, não sei onde, e nem sei como, mas o meu Deus tem coisa melhor para a minha vida", e terminou a entrevista. Esse rapaz tinha tudo para se tornar uma pessoa amargurada, ressentida, magoada. Mas ele esperou em Deus e guardou seu coração. O resultado de sua atitude ficou patente uma semana depois.

No domingo seguinte, o Grêmio foi jogar no Morumbi contra o São Paulo, que seria campeão brasileiro com empate. A partida estava duríssima. Aos dezenove minutos do segundo tempo, a torcida proclamava, aos berros: "São Paulo campeão brasileiro!". De repente, alguém passou a bola para esse meu amigo, que estava na entrada da grande área. Foi quando ele fez o gol mais lindo de sua carreira, de bate-pronto, no ângulo do goleiro Valdir Perez. Aquele gol deu ao Grêmio o título de campeão brasileiro, abriu as portas para o campeonato sul-americano e, por fim, o mundial interclubes.

Duas cenas marcaram aquela noite no Morumbi. A primeira, quando ele correu, comemorado o gol. As câmeras da televisão o focalizaram e foi possível ver que da sua boca saíam expressões de louvor e gratidão a Deus. Em vez dos costumeiros palavrões e das blasfêmias tão comuns ao ambiente e à hora, ele tinha a ousadia de louvar o Senhor. A segunda foi quando aquele cronista da TV Globo se dirigiu a ele para pedir desculpas. Ele respondeu, dizendo: "Não tenho nada a desculpar, fique tranquilo. Eu sabia que meu Deus faria isso. Eu só não esperava que fosse tão rápido. Eu só não esperava que seria tão depressa". E, por onde esse moço passou, levou um bom testemunho, o que o tornou conhecido como "o artilheiro de Deus".[1]

Segundo, *José não remoía as suas mágoas*. É interessante: nós não ruminamos comida, mas ruminamos mágoa. O indivíduo vai dormir e fica imaginando a cena em que dá um soco em um, atira no outro, se vinga com brutalidade. Ou, então, quando não tem coragem para isso, o cidadão amargurado começa a imaginar o desafeto sendo atropelado ou recebendo a notícia de que está com câncer incurável. Ali, ele começa a sentir uma misto de amargura e de alegria sórdida. É uma morbidez horrorosa.

O indivíduo vai dormir e fica imaginando a cena em que dá um soco em um, atira no outro, se vinga com brutalidade. Ou, então, quando não tem coragem para isso, o cidadão amargurado começa a imaginar o desafeto sendo atropelado ou recebendo a notícia de que está com câncer incurável. Ali, ele começa a sentir uma misto de amargura e de alegria sórdida.

Não há um registro sequer de que José ficasse rememorando o que aconteceu de ruim em sua vida. Ele parece ter escolhido não remoer raiva. Não é à toa que ele pôs o nome Manassés em um de seus filhos, pois Manassés significa "esquecimento". Assim como ele, devemos tratar nossas mágoas, curando-as com o olhar voltado para frente.

Terceiro, *José não permitiu que a amargura criasse raízes*. Ele resolveu logo o problema. A Bíblia nos orienta a não deixar o

---

[1] Disponível em: <https://globoplay.globo.com/v/2085773/>. Acesso em: 16 de nov. de 2017.

sol se pôr sobre a nossa ira, pois ira guardada transforma-se em amargura. A ira, geralmente, é momentânea, é uma coisa que acontece por impulso, você tem aquela explosão e depois passa. Já a amargura, não. É algo que trabalha lenta e persistentemente em favor do mal. É um inferno existencial, é um inferno da alma! Se você não lida rapidamente com a ferida, ela pode fincar raízes e criar todo tipo de problema na sua vida. Não brinque com a amargura. Devemos tratar nossas mágoas o mais rapidamente possível, bem como quaisquer atitudes erradas que tenhamos para com os outros. Depois que elas criam raízes profundas, tudo fica mais difícil.

Quarto, *José jamais mostrou-se vingativo*. Ele nunca alimentou sentimento de vingança, uma das reações mais naturais da natureza humana. Quando somos atingidos, a vontade de dar o troco é imediata. Para nos escusarmos, chamamos essa vingança de "justiça" e dizemos que tudo o que queremos é "justiça". Só que, no entendimento do amargurado, justiça é a destruição do outro. No coração do amargurado, a justiça é feita quando o outro entra pelo cano. E aí, se esse amargurado for cristão, ele é acometido por uma falsa piedade: "Coitado, vou orar por ele. Vou me apiedar", diz. Certa vez, eu disse a um senhor idoso, que era um homem muito amargurado: "Você é o tipo de pessoa que precisa sempre de alguém destruído na sua vida para exercer sua falsa piedade. Essa 'piedade' no fundo é um grito de satisfação porque o outro sofreu a desgraça que você queria que ele sofresse".

O apóstolo Paulo deixa bem claro que o amor não se alegra com a injustiça, mas sim com a verdade (1Co 13.6). José viveu isso. Tanto que jamais disse: "Bem-feito! É o que merece! Está colhendo o que plantou! Deus é justo e pegou esse cabra safado na curva". Essa não é uma postura de alguém que teme a Deus. Não há registro de José ter agido em represália a quem lhe fez mal, mesmo quando teve oportunidades perfeitas. Quando seus irmãos estavam aos seus pés, ele poderia fazer o que quisesse com eles, visto que José era a segunda maior autoridade do Egito. Era a hora do troco! Todavia, a resposta de José é de uma total falta de amargura: "Não tenham medo de mim. Por acaso sou Deus para castigá-los?" (Gn 50.19).

A vingança de Deus é em amor. A forma mais doce de vingança é que Deus pega o indivíduo de que a gente tem muita raiva, transforma o coração dele e nos obriga a olhar para ele e dizer: "A paz do Senhor, meu irmão".

Você precisa tomar uma decisão: se quer exercer vingança, Deus sai da história. Agora, se quer que a vingança seja do Senhor, saia da encrenca e deixe com ele. Agora, eu lhe previno, a vingança de Deus é em amor. A forma mais doce de vingança é que Deus pega o indivíduo de que a gente tem muita raiva, transforma o coração dele e nos obriga a olhar para ele e dizer: "A paz do Senhor, meu irmão". É assim que Deus faz. Agostinho escreveu uma oração extraordinária, em que diz: "Ó, Senhor, livra-me da lascívia de estar sempre me vingando!".

Quinto, *José não permitiu que o passado afetasse o futuro*. Pronto. As antigas ofensas não se tornaram obstáculos; pelo contrário, José usou cada ofensa como um degrau. Há duas formas de fazer o que Deus deseja: de boa vontade ou contra a vontade. Mas, independentemente de como agiremos, a vontade do Senhor prevalecerá! Portanto, deixar o passado afetar o futuro é inócuo. José sabia que a volta constante ao passado seria uma força destrutiva e nada poderia ser feito para modificá-lo. Não deixe o passado amarrar o seu futuro! Também não deixe que dores do passado arranquem a bênção que Deus quer lhe dar hoje.

Sexto, José fez o absurdo dos absurdos, contrariando toda a lógica humana: *ele abençoou os que o magoaram*. Gente ordinária não faz isso, só gente extraordinária. Se alguém me diz: "Bispo, eu sou um cristão bom, pois levo minha esposa para jantar, lavo o carro, dou uma penteada no cabelo dos filhos e pago as contas em dia", não fico impressionado, porque essas são atitudes ordinárias, comuns, usuais. O ordinário é mole, é fácil. O problema é fazer o extraordinário, aquilo que está além do ordinário. E José fez isso, em quatro ocasiões distintas, quando abençoou os que o magoaram. O mais interessante é que ele não ficou neutro, mas decidiu abençoar os que o magoaram. É uma atitude libertadora! E os irmãos dele ficaram sem entender nada, tanto que, quando Jacó morreu, eles acharam que José ainda poria em ação alguma atitude vingativa com relação a eles. Você pode utilizar a ofensa para atender às necessidades de quem o ofendeu. E, depois, pedir a Deus para usar essa pessoa de maneira tremenda para ministrar sobre a sua vida. A Bíblia diz que quem faz assim amontoa brasas vivas sobre a cabeças do outro (Rm 12.20). O indivíduo não entende, porque não há nada mais absurdo, incompreensível e dolorido do que ser tratado com misericórdia pela pessoa a quem fizemos tanto mal.

Quando nos livramos das raízes de amargura, somos libertos, mas precisamos de uma atitude libertadora. Faça das situações que produziram amargura em você oportunidades para que você seja uma bênção na vida do outro. Você verá que, no processo, quem mudará é você, muito mais do que o nosso ofensor.

Como se libertar da amargura e de suas consequências

Você quer libertar-se de suas amarguras e de todas as suas maléficas consequências? Existem passos que você deve dar para alcançar esse objetivo.

Primeiro, confesse a Deus o seu ressentimento e ódio. Eu recebi no gabinete uma mulher que carregava amargura havia vinte e cinco anos. Percebi que algo estava muito escondido, porque ela aparentava ter uma idade muito além da que tinha. Era uma pessoa de olhar melancólico e triste, e pele muito enrugada. Durante a conversa, comecei a perceber que ela nunca havia sido tão exposta ao sol nem vivido no campo. Lá pelas tantas, alguma coisa tocou o nervo da alma, ela despencou em pranto e me confessou uma amargura que carregava havia duas décadas e meia. Amargura guardada é uma desgraça, envenena a alma e transtorna o corpo. Confesse agora a Deus o que se passa no seu coração.

Amargura guardada é uma desgraça, envenena a alma e transtorna o corpo. Confesse agora a Deus o que se passa no seu coração.

Segundo, assuma total responsabilidade por suas ações em relação aos que o ofenderam. A Bíblia diz que, se o seu irmão tem alguma coisa contra você, vá até ele e reconcilie-se, antes de deixar sua oferta perante o altar. Deus está muito mais interessado no coração do ofertante do que na oferta dele. Às vezes, pensamos que as nossas ofertas enganam Deus. Porém,

Deus não olha o tamanho da oferta, mas o coração do ofertante. Quem tem olhos para ver a alma, portanto, assuma a responsabilidade.

Terceiro, mude o foco. Tire os olhos do ofensor e ponha o foco em Deus. Lembre-se de que o Senhor perdoou você por ofensas muito mais graves do que as que a pessoa que o machucou lhe fez. Esse é o princípio do perdão. Ninguém vai me fazer mal equivalente ao que fiz a Deus, porque o mal que fiz a Deus levou o Filho dele à cruz do Calvário. Portanto, tire o foco do ofensor e ponha os olhos em Deus.

Quarto, quem foi perdoado deve perdoar. Só não perdoa quem não tem consciência do perdão. Simão, o fariseu, ficou escandalizado quando viu a mulher pecadora banhar os pés de Jesus com lágrima e enxugá-los com seus cabelos, beijá-los e derramar perfume sobre eles. O Senhor leu o coração de Simão e lhe disse: "os pecados dela, que são muitos, foram perdoados e, por isso, ela demonstrou muito amor por mim. Mas a pessoa a quem pouco foi perdoado demonstra pouco amor" (Lc 7.47). O cristão que tem consciência do tamanho do perdão que recebeu aprende a se livrar da amargura perdoando.

Quinto, submeta todas as suas vontades e todo desejo de vingança ao Senhor. Confie a ele o modo de lidar com o ofensor e saiba que é Deus quem vai escrever o último capítulo na sua vida.

Sexto, peça que Deus faça de você um canal de bênçãos para o ofensor. Deixe a mente gestada com maneiras criativas e específicas, por meio das quais você possa abençoar quem lhe fez mal.

Se você sofre com amargura, quero convidá-lo a adotar a mesma postura que José, para que o amargor da sua alma não produza doenças espirituais, emocionais e físicas em você, mas que ela seja banida da sua vida. Que você seja arejado pelo vento do Espírito e que você olhe para o passado e diga: "Teu nome é Manassés, esquecimento". Olhe para o futuro!

Vamos orar

Pai, guarda-me da amargura! Livra-me do veneno de uma vida amarga. Que a tua misericórdia faça de mim um ser humano à semelhança de Jesus de Nazaré, que, mesmo diante de algozes e traidores, manteve a doçura da alma casada com a verdade no coração. Ensina-me a jamais ter um coração amargo, que transforme a minha vida e a de outros em algo sem o doce sabor do teu caráter. Entrego a ti tudo o que sou e confio que jamais serei contaminado, mas, ao contrário, em tudo dando graças, que eu possa levar aos outros, de muitas formas, o suave e manso caráter de Jesus Cristo, meu Senhor e libertador. Amém!

4

VENCENDO O CIÚME

Ninguém escapa de sentir ciúme. Portanto, ao falarmos sobre o assunto, a questão não é ser ou não afetado por ele, mas identificar onde está a fronteira entre a sua manifestação como saúde e como doença, entre viver esse sentimento de forma saudável ou destrutiva. O ciumento dificilmente esfria a cabeça, ele vive num estado de quem está sempre armado. É como uma arma engatilhada, pronta a disparar a qualquer momento. O ciúme é um dos sentimentos mais destrutivos que podem existir, principalmente no seio da família. O ciúme patológico, doentio, possessivo é aquele que abafa, castra, poda, policia, fiscaliza e é violento. Existe o ciúme saudável, provocado por zelo e por amor, e que tem seus limites. A própria Bíblia diz que o Espírito de Deus tem ciúmes, nesse sentido de cuidar de quem se ama.

Dizem os dicionários que ciúme é o zelo doentio e excessivo por alguém ou por algo. É a manifestação extrapolada de um cuidado que ultrapassa os limites aceitáveis e se torna perigoso. Ele existe entre cônjuges, pais e filhos, irmãos da igreja ou irmãos. Por não saber lidar com o ciúme cotidiano e natural, muitos descambam para a violência. Se você ler os jornais, verá que as estatísticas dos crimes passionais aumentam dia a dia, provocados por um ciúme doentio, exagerado, patológico, enfermo, que gera a morte e a desgraça.

Quando o ciúme não é prejudicial pela intensidade, pode ser pela cronicidade. Algumas pessoas não têm picos de ciúmes exagerados, mas têm uma constância irritante no ciúme. E isso também é complicado, pois gera atritos.

Talvez possa parecer que, diante da complexidade de muitos assuntos bíblicos, ciúme seja um tema menos importante. Porém, quando vemos que o apóstolo Paulo se dedicou a falar sobre ele, nos damos conta de que é um sentimento que merece atenção:

> Se eu falasse as línguas dos homens e dos anjos, mas não tivesse amor, seria como um sino que ressoa ou um címbalo que retine. Se eu tivesse o dom de profecias, se entendesse todos os mistérios de Deus e tivesse todo o conhecimento, e se tivesse uma fé que me permitisse mover montanhas, mas não tivesse amor, eu nada seria. Se desse tudo que tenho aos pobres e até entregasse meu corpo para ser queimado, e não tivesse amor, de nada me adiantaria.
>
> O amor é paciente e bondoso. *O amor não é ciumento*, nem presunçoso. Não é orgulhoso, nem grosseiro. Não exige que as coisas sejam à sua maneira. Não é irritável, nem rancoroso. Não se alegra com a injustiça, mas sim com a verdade. O amor nunca desiste, nunca perde a fé, sempre tem esperança e sempre se mantém firme.
>
> Um dia, profecia, línguas e conhecimento desaparecerão e cessarão, mas o amor durará para sempre. Agora nosso conhecimento

é parcial e incompleto, e até mesmo o dom da profecia revela apenas uma parte do todo. Mas, quando vier o que é perfeito, essas coisas imperfeitas desaparecerão.

Quando eu era criança, falava, pensava e raciocinava como criança. Mas, quando me tornei homem, deixei para trás as coisas de criança. Agora vemos de modo imperfeito, como um reflexo no espelho, mas então veremos tudo face a face. Tudo que sei agora é parcial e incompleto, mas conhecerei tudo plenamente, assim como Deus já me conhece plenamente. Três coisas, na verdade, permanecerão: a fé, a esperança e o amor, e a maior delas é o amor.

1Coríntios 13.1-13

"O amor não é ciumento", diz Paulo. Portanto, sim, essa é uma questão que pede toda a nossa atenção.

Realidades sobre o ciúme

A primeira realidade que a Bíblia nos ensina é que o ciúme é um sentimento que desestrutura o relacionamento familiar, como uma brecha por onde a água penetra. Muitas vezes, o ciúme funciona como aquela brecha por onde o inimigo consegue lançar uma seta no intuito de destruir relacionamentos. Muitas famílias estão ruindo por causa do ciúme. O ciúme gera inveja, que, por sua vez, gera morte. A Bíblia nos cita muitos exemplos de tragédias que aconteceram como consequência do ciúme: Caim e Abel, Raquel e Lia, e José e seus irmãos.

Conheço casos de dois cunhados que travaram uma batalha por ciúmes tão grande que chegaram a sacar armas para se matarem. Se não fosse a intervenção de Deus, de forma poderosa, repentina e sobrenatural, a tragédia teria se consumado.

Além de tudo, ciúme provoca medo, pois o ciumento é inseguro. O ciúme é pai da insegurança, da desconfiança e de um complexo horroroso de perseguição, falta de domínio próprio, intolerância e baixa autoestima. A pessoa ciumenta não consegue dizer: “Eu sou mais eu”; ou “Eu me garanto”, o que acaba fazendo-a ser consumida pelo ciúme patológico. Mas, se o amor não é ciumento, algo está errado com o amor dessa pessoa que é objeto de seu sentimento.

O ciúme é pai da insegurança, da desconfiança e de um complexo horroroso de perseguição, falta de domínio próprio, intolerância e baixa autoestima. A pessoa ciumenta não consegue dizer: “Eu sou mais eu”; ou “Eu me garanto”, o que acaba fazendo-a ser consumida pelo ciúme patológico.

A segunda realidade é que o ciúme sufoca o amor, pois são dois conceitos que não conseguem conviver. Você pode até pensar que dá, mas não dá: ou um respira e o outro fica sufocado, ou dá-se o inverso. Não há como os dois viverem oxigenados. Entenda: quem ama está preocupado com o outro; já o ciumento está preocupado primeiro consigo mesmo. Portanto, o ciúme é muito mais egoísmo, porque, quando se ama de verdade, há uma dinâmica no amor que beneficia quem ama e quem é amado. É isso o que a Palavra de Deus nos ensina. Observe o que diz Salomão: “Coloque-me como selo sobre seu coração, como selo sobre seu braço. Pois o amor é forte como a morte, e o ciúme, exigente como a sepultura” (Ct 8.6). Sim, o ciúme é gelado, é morto como a sepultura. Ele não produz nada, não produz vida.

A terceira realidade é que o ciúme é um sentimento que não pode nos dominar; antes precisa ser dominado. Muitas pessoas que me pedem aconselhamento pastoral dizem assim: "Ah, pastor, eu não tive como controlar a mente". Eu respondo: "Então você está doente e precisa de cura!". Porque a saúde determina que eu domine, administre, controle, conduza os meus instintos. A minha saúde mental é determinada pela capacidade que Deus me dá de gerenciar os meus desejos e as minhas vontades e de buscar o socorro de Deus quando as coisas chegam ao limite. No entanto, as pessoas que são dominadas, guiadas ou que se deixam dominar, por exemplo, pelo ciúme, precisam de uma reflexão urgente ou de um tratamento da parte de Deus.

Sete passos para vencer o ciúme

Existem sete passos que nós precisamos dar para vencer o ciúme. Primeiro, temos de verificar se o ciúme tem fundamento, porque a maioria dos ataques de ciúme acontecem por suposições, suspeitas, desconfiança de algo inexistente. Muitas vezes, por fantasmas. Pressuposição é uma das coisas mais nocivas à mente humana, pois gasta-se muita energia pressupondo, imaginando, baseando-se em uma premissa falsa para criar uma lógica que não é verdadeira.

É como dizer: "Rui Barbosa era baiano. Rui Barbosa era inteligente. Logo, todo baiano é inteligente". Tem lógica? Sim! Mas a premissa é falsa, trata-se de um sofisma, porque nem todo baiano é inteligente. Se o indivíduo não observa a premissa e apenas atenta para a lógica, o fundamento sobre o qual ele construiu a afirmação é falho. Muitas crises de ciúme são erguidas sobre premissas falsas. Até porque a Bíblia diz que para o sujo, todas as coisas são sujas; para o impuro, todas as coisas são impuras; para o desconfiado, tudo tem cara de armação e traição; para aquele que rouba, todos são ladrões; para aquele que mente, parece que todo mundo é mentiroso; para quem vive traindo, todos são traidores potenciais; enfim, da maneira que julgamos somos julgados, do jeito que imaginamos podemos ser compreendidos.

Assim, dependendo de como avaliamos o próximo, podemos ter o diagnóstico do nosso ser e do próprio caráter. Portanto, se você for acometido por ciúme, a primeira coisa que deve fazer é ver se há fundamento naquilo que o irrita. É possível que o ciúme que sente seja resultado de negatividade, que apenas enxerga o que é mau, até onde não existe. Este é o primeiro passo: observar, checar e ver se o ciúme tem fundamento.

Segundo, é necessário vencer o complexo de inferioridade. Muitas vezes, o ciúme é exagerado por causa da baixa autoestima. A pessoa se sente tão inferior que perde a confiança em si mesma, já não confia no respeito que pode impor, na admiração que desperta. Ela não acredita mais no seu potencial e, portanto, começa a subestimar-se e a superestimar os outros. Quando isso ocorre, o indivíduo entra na onda dos espiões que foram investigar Canaã e voltaram, dizendo: "Todas as pessoas que vimos são enormes. Vimos até gigantes, os descendentes de Enaque! Perto deles, nos sentimos como gafanhotos, e também era assim que parecíamos para eles" (Nm 13.32-33). O complexo de inferioridade superdimensiona e hipertrofia o problema. Há muitas crises de ciúme que são produtos diretos dessa sensação de inferioridade no coração das pessoas.

O apóstolo Paulo ensina o seguinte: "Com base na graça que recebi, dou a cada um de vocês a seguinte advertência: não se considerem melhores do que realmente são. Antes, sejam honestos em sua autoavaliação, medindo-se de acordo com a fé que Deus nos deu" (Rm 12.3). Há uma medida saudável, exata, correta, boa, gostosa e agradável com a qual devemos pensar a respeito de nós mesmos.

O terceiro passo para vencer o ciúme é desenvolver confiança no outro. Preste atenção ao verbo que usei: *desenvolver*. Estou propondo uma espécie de "fisioterapia psicológica", exercícios voltados a criar uma disciplina. Algumas pessoas têm este ***modus operandi***: desconfia, se irrita, agride, diz um monte de bobagens, humilha, fere, machuca, arranca pedras da construção dos relacionamentos... e, quando chega lá na frente, diz: "Meu Deus, era tudo tolice, não tinha nada disso, não era nada do que eu pensava". Resultado? O ciumento morre de vergonha. Muitas vezes, nos acostumamos a desconfiar. A pessoa desconfiada não dorme, mas fica matutando no travesseiro possibilidades de traição do outro: "Ela chegou tal hora, logo...", "Eu liguei e o celular estava fora do ar, portanto...". Começam suspeitas horrorosas.

O complexo de inferioridade superdimensiona e hipertrofia o problema. Há muitas crises de ciúme que são produtos diretos dessa sensação de inferioridade no coração das pessoas.

A Bíblia não diz para sermos ingênuos, mas, sim, "espertos como serpentes e simples como pombas" (Mt 10.16). É um olho aberto e o outro fechado. É um olho no peixe e outro no gato. Isso não significa, no entanto, partir para extremos da desconfiança patológica, porque isso pode acabar tendo um efeito contrário, ou seja, despertar a pessoa para possibilidades que ela nunca imaginou. E aí entra o maligno e começa a instigar com tentações. Tenha cuidado.

Quarto, deve-se compreender o temperamento do outro. Todos somos diferentes. Por mais que a psicologia enquadre os temperamentos em três ou quatro categorias, o fato é que todos somos únicos. Cada membro da família tem um temperamento singular — e que deve ser respeitado. Não confunda temperamento com caráter. Você pode ter um mau caráter com bom temperamento. E você pode ter um bom caráter com mau temperamento, explosivo, pavio curto, genioso. Você não pode imaginar uma pessoa na sua crise de ciúme como alguém de caráter deturpado — pode ser apenas temperamento.

Quinto, aprenda a ser altruísta. Devemos pensar mais em dar do que em receber, o que nos levará a lutar contra o egoísmo. Nós cativamos as pessoas na medida em que nos damos a elas, e não ao querer dominá-las. É impressionante como o ciúme patológico gera uma necessidade de manipular, comandar, determinar, apertar botões, dirigir, tirar espaços, cortar a capacidade de imaginação e criatividade. Se isso ocorre, quando o ente amado tenta botar para fora algo muito bom e rico, o ciumento vem e abafa. Isso é egoísmo, o caminho oposto do altruísmo.

O sexto passo para vencer o ciúme é aprender a distinguir o sentimento natural e protetor do doentio e destruidor. É preciso saber até onde seu ciúme está sendo construtivo, como zelo de alguém que cuida do que tem, ou se está ultrapassando a medida, extrapolando a lógica e tornando-se perturbador e ridículo.

Por fim, o sétimo passo é pedir ajuda a Deus. Se você não consegue vencer o ciúme, se é o tipo de pessoa que suspeita em tudo, apresente o seu problema a Deus. Porque, às vezes, o ciúme é gerado por causas traumáticas e desconhecidas, abrigadas no inconsciente, e, nesses casos, o Deus que tudo sabe pode ajudá-lo a superar isso. O apóstolo João escreveu: "Esse amor não tem medo, pois o perfeito amor afasta todo medo" (1Jo 4.18). Amor tem de conviver com coragem, ousadia, iniciativa, determinação. Amor e medo não combinam. Ciúme gera medo, suspeitas, doenças e morte. Amor gera confiança, saúde e vida.

Algumas pessoas são tão vitimadas pelo ciúme que você vê no rosto delas que são indivíduos sofridos, curtidos em dor. Seus olhos melancólicos as denunciam. O ciúme é como um bumerangue: você atira no outro e ele volta e atinge você. Você procura atingir o outro, mas seu ciúme envenena você. O outro dorme, mas você é quem fica para lá e para cá. No entanto, Deus é amor, e amor curador. Há libertação para o ciumento. Nada melhor do que viver na confiança do Senhor, na certeza de que ele guarda, porque, se o Senhor não vigiar seu cônjuge, seus filhos, seu trabalho... em vão vigia a sentinela! Se o Senhor não guardar, não edificar, não construir... em vão trabalha o construtor.

> ***É preciso saber até onde seu ciúme está sendo construtivo, como zelo de alguém que cuida do que tem, ou se está ultrapassando a medida, extrapolando a lógica e tornando-se perturbador e ridículo.***

Coisa boa é descansar debaixo do olhar atento daquele que tudo vê. Maravilhoso é confiar no braço de quem tudo pode e crer no coração de quem a todos ama.

Vamos orar

Pai querido, tu nos fizeste à tua imagem e semelhança e ordenaste o povoamento da terra. Mas, à medida que a terra foi sendo povoada, a relação interpessoal foi se tornando difícil, e, logo na primeira família, o ciúme foi tão forte que Caim matou seu irmão. Mas, Pai, a tua Palavra nos ensina a vencer o ciúme e como ter um relacionamento sadio, agradável, maravilhoso com as pessoas que estão ao nosso lado. Teus filhos estão diante de ti esperando que o teu Espírito Santo faça uma obra maravilhosa. Nós te pedimos que em relacionamentos quebrados, motivados pela desconfiança, inundados pelo ciúme e pelo desamor, haja restauração, cura, santificação. Que aqueles que vivem dessa forma possam experimentar uma vida de paz e alegria com os seus familiares e amigos, sobretudo com os cônjuges. No nome de Jesus pedimos. Amém.

5

VENCENDO
A REJEIÇÃO

Os psicólogos afirmam que a segunda maior dor que um ser humano pode sentir é a da rejeição, que fica atrás apenas da dor pela perda de um filho. Pesquisadores da Universidade da Califórnia (EUA) descobriram, inclusive, que um ser humano rejeitado tem as mesmas sensações no cérebro que as provocadas por uma agressão física.[1] A Bíblia não fica atrás da ciência e apresenta textos significativos que nos ajudam na compreensão da rejeição e de tudo o que ela provoca. A história de Hagar é reveladora nesse sentido.

> Quando Isaque cresceu e estava para ser desmamado, Abraão preparou uma grande festa para comemorar a ocasião. Sara, porém, viu Ismael, filho de Abraão e da serva egípcia Hagar, caçoar de seu filho, Isaque, e disse a Abraão: "Livre-se da escrava e do filho dela! Ele jamais será herdeiro junto com meu filho, Isaque!".

---

[1] Disponível em: <http://www1.folha.uol.com.br/fsp/ciencia/fe1010200301.htm>. Acesso em: 17 de nov. de 2017.

Abraão ficou muito perturbado com isso, pois Ismael era seu filho. Deus, porém, lhe disse: "Não se perturbe por causa do menino e da serva. Faça tudo que Sara lhe pedir, pois Isaque é o filho de quem depende a sua descendência. Contudo, também farei uma nação dos descendentes do filho de Hagar, pois ele é seu filho".

Na manhã seguinte, Abraão se levantou cedo, preparou mantimentos e uma vasilha cheia de água e os pôs sobre os ombros de Hagar. Então, mandou-a embora com seu filho, e ela andou sem rumo pelo deserto de Berseba.

Quando acabou a água, Hagar colocou o menino à sombra de um arbusto e foi sentar-se sozinha, uns cem metros adiante. "Não quero ver o menino morrer", disse ela, chorando sem parar.

Mas Deus ouviu o choro do menino e, do céu, o anjo de Deus chamou Hagar: "Que foi, Hagar? Não tenha medo! Deus ouviu o menino chorar, dali onde ele está. Levante-o e anime-o, pois farei dos descendentes dele uma grande nação".

Então Deus abriu os olhos de Hagar, e ela viu um poço cheio de água. Sem demora, encheu a vasilha de água e deu para o menino beber.

Deus estava com o menino enquanto ele crescia no deserto. Ismael se tornou flecheiro e se estabeleceu no deserto de Parã, e sua mãe conseguiu para ele uma esposa egípcia.

Gênesis 21.8-21

O texto que acabamos de ler fala sobre uma das pessoas mais rejeitadas citadas em toda a Palavra de Deus: a egípcia Hagar. A história é conhecida: Abraão se casa com Sara, que, estéril, não concebe filhos. Os anos se passam e Sara, notando o desejo de Abraão por ter uma descendência, propõe como solução algo comum à época e à cultura: que ele se relacionasse sexualmente com sua serva Hagar, a fim de que ela lhe suscitasse descendência. Seria, no contexto e na linguagem de hoje, algo como uma "barriga de aluguel".

Abraão concorda e dessa relação nasce Ismael. Algum tempo depois, Deus ouve o clamor de Sara, a abençoa e ela engravida. Dessa gravidez nasce Isaque. Mas a egípcia Hagar entra para a história como uma das pessoas que experimentaram a rejeição. Pode ser que você experimente na pele a rejeição, mas por razões diferentes de Hagar. Não se espante, porque esse é um problema que se apresenta de diversas maneiras, com diferentes causas.

Há pessoas que são rejeitadas em função da etnia. Outras são vítimas de rejeição econômica. Existem também os que são vítimas de rejeição intelectual e, até mesmo dentro de casa, recebem rótulos e são estigmatizados. Há a dolorosa rejeição em razão da idade. Existe a rejeição estética, tão comum nos nossos dias, pelo fato de indivíduos não se encaixarem em certos padrões socialmente estabelecidos. Finalmente, há rejeição, ainda, quando, em nome de Deus, segrega-se, isola-se, até mesmo assassina-se. A conclusão é que há uma multidimensionalidade na rejeição.

O evangelho não apenas diagnostica, mas afirma, em nome de Jesus, que você pode ser curado das muitas feridas que a rejeição lhe causou, para o louvor do Senhor. Isso porque o evangelho tem poder não apenas para mostrar, para trazer à luz, mas, sobretudo, para eliminar, sarar, refazer, restaurar e dar uma nova chance, para a glória do nome do Senhor.

Consequências da rejeição

Olhando para a história de Hagar, vemos que a rejeição tem consequências gravíssimas. Primeira: pessoas rejeitadas perdem o rumo na vida, o senso de direção. Assim como ela saiu errante pelo deserto de Berseba, sem destino certo, a rejeição complica, embota, atrapalha o direcionamento da vida. Com isso, o rejeitado perde o sentido profissional e o direcionamento como ser humano. Seu mundo começa a ruir. Aquela mulher era uma escrava egípcia, ela não tinha para onde ir nem a quem recorrer.

Quando cito Hagar, lembro da história de uma senhora que um dia foi ao meu gabinete conversar, pelo fato de o casamento de vinte e cinco anos estar arruinado. Aquela mulher dedicara-se ao marido e aos filhos, anulando-se e sacrificando--se totalmente, para que a família fosse beneficiada e juntasse um patrimônio considerável. Porém, certo dia, o esposo olhou nos seus olhos e, friamente, disse que já não a amava mais e que sairia de casa definitivamente. O mundo daquela mulher desmoronou. Após tanta dedicação, ela agora estava rejeitada. Após uma consagração total à família, uma vida absolutamente solvida pela vontade de ver a família caminhar unida, abençoada e feliz... ela agora era deixada à margem. E, por sempre ter se dedicado ao lar, ela não se profissionalizou, não tinha uma perspectiva de vida, de sustento. Eu ministrei, consolei, confortei e mostrei que Deus não iria abandoná-la, mas sua dor foi tão grande que ela, infelizmente, acabou dando cabo da própria vida. A rejeição faz com que a pessoa perca a perspectiva e a esperança. A pessoa já não sabe o que vem pela frente. Os rejeitados via de regra sofrem essa agonia da perda do direcionamento na vida.

Segunda consequência: solidão. A Bíblia diz que Hagar experimentou o isolamento e a solidão. Essa é uma das maiores dores dos rejeitados. Ainda que estejam no meio de uma multidão, nas ruas da cidade, nas grandes congregações, nos grandes ajuntamentos, em *shows*, em movimentos, em agitações... sua alma é invadida por uma sensação de abandono e falta de valor próprio. Em geral, rejeitados procuram o isolamento, tornam-se como ilhas, rompem as conexões da alma para estabelecer contatos. Hagar foi lógica ao prosseguir pelo deserto, porque aquele era o ambiente que melhor retratava o estado de alma dela.

A rejeição faz com que a pessoa perca a perspectiva e a esperança. A pessoa já não sabe o que vem pela frente. Os rejeitados via de regra sofrem essa agonia da perda do direcionamento na vida.

A Bíblia fala de um homem chamado Jefté, que foi rejeitado pela família e, quando isso aconteceu, ele também foi para o deserto. Ali tornou-se um revoltado e passou a andar em más companhias. Quem é rejeitado geralmente passa a rejeitar os outros, o que é uma sintomatologia perigosa. Rejeitados quase sempre rejeitam; quem não é amado dificilmente ama, pois o amor dá-se por meio de ações que provocam reações, isto é, trata-se de algo vivido na mutualidade. O rejeitado geralmente aprende a rejeitar.

A terceira consequência da rejeição é: sofrimento físico e emocional. Observe no texto que a água acabou durante a peregrinação. Há um primeiro estágio de dor física, que, depois, torna-se dor emocional. Hagar começa a olhar o menino, e a Bíblia infere que ele fica desidratado. A mãe olha e se dá conta de que o seu filho está morrendo diante dela. Chega um momento em que ela não aguenta e assume a sua dor. Ela age como se dissesse: “Nasci para sofrer, vou ver meu filho morrer. Assumo que não tem jeito". Diz o texto que ela procura um arbusto, coloca Ismael ali em baixo e vai pouco mais para frente, onde senta-se e chora copiosamente, apenas como expectadora da morte da criança. A rejeição tem levado muitas pessoas a esse tipo de sofrimento. Rejeitados têm prejuízos emocionais, materiais, relacionais e, às vezes, até espirituais. Resta a Hagar assumir a desgraça e ser testemunha passiva da morte do seu filho.

Se parássemos por aqui, seríamos pessimistas derrotados, que acham que pessoas rejeitadas só podem sentar e ver a vida passar. Nada mais longe da verdade! Quem anda com Deus de alguma forma tem a certeza de que o mau estado de coisas não é o que Deus quer, mas é produto da insensatez humana voltada ao pecado. Já quem anda com Jesus sabe que as coisas não vão terminar como estão. Nós somos o povo da esperança!

Curados da rejeição

A Bíblia diz que, para que a rejeição seja curada, temos de aprender que ela pode fazer parte de um plano de Deus para nossa vida, em quem devemos confiar. Por mais doloroso que seja reconhecer isso, devemos compreender que Deus jamais nos deixaria passar pela rejeição se ela não fizesse parte de algo maior. A única coisa que sustenta alguém na tribulação é a certeza de que um dia ela vai terminar. Se não houver essa esperança, o barco naufraga no meio da tempestade; se não houver essa esperança, o coração murcha. Contudo, a beleza da fé, a beleza da vida cristã, é que no meio de todas as agonias, lança-se o olhar para o alto, e tem-se a certeza de que Deus vai chegar na hora certa. Quando todas as suas perspectivas sumirem, quando até mesmo a sua fé for pequenina demais para encarar um problema, não se desespere, pois há uma mão que será estendida na sua direção, que é a mão da graça. Essa mão não lhe é estendida porque você merece ou porque você é bom, mas porque Deus o ama, é misericordioso e deseja fazer você superar as turbulências da vida.

Além disso, a cura para a rejeição vem quando entendemos que ela pode ter sido fruto dos erros que cometemos. Em vez de assumir uma postura de humildade e gratidão, Hagar começa a zombar de Sara, criando um clima de competição. Ela passa a se dirigir a Sara como se dissesse: "Eu posso e você não pode; eu consegui e você não; eu venci e você perdeu. Você é a esposa, mas quem gerou o filho fui eu, pois tenho qualidades que você não tem". Sua postura de rejeição acaba trazendo juízo sobre sua vida.

Jesus disse que devemos fazer aos outros o que desejamos que os outros nos façam. Hagar, porém, rejeitou e humilhou Sara. O retorno foi muito mais duro do que ela imaginava, e a semeadura foi ruim, cruel. A Bíblia diz que, vendo ela que havia engravidado, desprezou a sua senhora. Muitas vezes, somos rejeitados porque plantamos a rejeição, porque não temos a humildade de pedir perdão, porque não queremos nos curvar. Nosso ego é muito forte e não queremos dar ao outro uma chance de restauração.

Muitas vezes, somos rejeitados porque plantamos a rejeição, porque não temos a humildade de pedir perdão, porque não queremos nos curvar. Nosso ego é muito forte e não queremos dar ao outro uma chance de restauração.

Finalmente, a rejeição nos leva a ter uma experiência com Deus. O texto mostra que Hagar ora, clama e chora.

É interessante percebermos que não há registro de ela ter feito isso antes da rejeição que sofreu. Antes da dor da rejeição, seu relacionamento com Deus era muito precário — se é que havia —, mas, depois da agonia da rejeição, ela chora, clama e põe o rosto no pó. Eu tenho um amigo em Porto Alegre cujo filho, de 9 anos, deu um mergulho infeliz na piscina, bateu com a cabeça, ficou cinquenta e cinco dias em coma e acabou tetraplégico. Até hoje ele é um rapaz bonito, que ama Jesus. Hoje, esse meu amigo, empresário, diz que foi a tragédia de seu filho que o aproximou de Deus. Ele ressalta: "Antes, eu era um cristão formal, nominal, que cumpria minhas obrigações religiosas de forma fria, mas, diante da tragédia, minha esposa e eu corremos para os braços de Deus. A dor do meu filho foi como a ostra que produziu a pérola da nossa nova vida com o Senhor Jesus".

É difícil para a maioria aceitar, mas um dia vamos entender que nossas dores produzem em nós uma qualidade de vida espiritual muito melhor. Ficamos mais humildes, mansos, amorosos, misericordiosos, graciosos, tolerantes e bonitos por dentro — por uma razão que, às vezes, escapa ao racional: Deus trabalha por meio da dor para nos conformar a Cristo.

Três passos para vencer a rejeição

Existem três passos que você precisa dar, hoje, para vencer a rejeição.

Primeiro passo, confie que Deus conhece a sua aflição. Gênesis revela que o Senhor ouviu a voz do menino e, por essa razão, o anjo foi até Hagar. Deus não é indiferente à sua dor, ele a conhece. Ainda que ninguém ligue para ela, saiba que o Senhor da eternidade conhece e vê seu sofrimento.

Segundo passo, reaja, confiando que Deus cumpre as suas promessas. Diz a Bíblia que Deus faria de Ismael um grande povo". Hagar olhava e via um cadáver; Deus olhava e via uma nação. Hagar olhava e via um funeral; Deus olhava e via milhões e milhões de descendentes daquela criança. É assim que Deus faz. Portanto, devemos reagir, confiando que o resultado final não será aquele que o olho vê, mas aquele que Deus vê. Não seja controlado pelo que aconteceu a você, mas pelo propósito de Deus para a sua vida.

Terceiro passo, receba de braços abertos o milagre de Deus. Quando Hagar se deu conta, vislumbrou um poço de água, de cuja água bebeu e deu ao seu filho. O que faltava era Deus abrir os olhos dela. Creio que a resposta à sua rejeição está pertinho de você, o que não tem acontecido é seus olhos serem abertos — muitas vezes, porque as lágrimas embaçaram seus olhos como uma cortina. Tudo o que você precisa fazer é chegar diante de Deus e dizer: "Abre-me os olhos".

O poço estava ali, assim como a água, mas o menino estava prestes a morrer. Hagar reclamava sem se dar conta de que a vitória estava ao lado. Mas o Senhor abriu-lhe os olhos. Deus garante a nossa bênção quando ele vem até nós com as fontes de água viva! A fonte do Calvário é inesgotável, e o sangue derramado na cruz é a garantia da nossa bênção.

Deus garante a nossa bênção quando ele vem até nós com as fontes de água viva! A fonte do Calvário é inesgotável, e o sangue derramado na cruz é a garantia da nossa bênção.

Li há alguns anos a história de um rapaz, de família muito pobre, que conseguiu concluir o seu curso de medicina. Estava tudo preparado para a comemoração desse feito: festa, baile, colação de grau, cultos... mas aquele menino era filho de um homem que tinha as mãos deformadas, feias, com chagas, purulentas. Ele carregava feridas que não cicatrizavam. Muitas pessoas tinham nojo, porque a aparência era muita feia e o aspecto, asqueroso.

O menino começou a ficar incomodado quando imaginava a sua festa de formatura e o pai com aquelas mãos lá. Quando pensava nos colegas e professores vendo aquelas mãos, era tomado por vergonha. Até que, um dia, tomou coragem e foi conversar com o pai, a quem disse:

— Meu pai, eu agradeço pelo que o senhor fez por mim. Vêm aí a formatura, o baile e a colação de grau. O senhor quer me deixar feliz?

E o velho pai respondeu:

— Quero.

— Eu queria lhe pedir uma coisa.

— O quê?

— Que o senhor não fosse à festa. Na verdade, a nenhuma delas.

O velho perguntou:

— Por quê?

E ele, com sinceridade, disse:

— Porque eu morro de vergonha das suas mãos. Elas são repugnantes e me deixam encolhido diante das pessoas. Eu não gostaria que na minha festa, com gente filmando e fotografando, o senhor fosse lá.

O velho e rejeitado pai suspirou e disse:

— Meu filho, hoje eu vou lhe contar uma história que nunca lhe contei. Eu não vou às suas festas, fique tranquilo, mas eu vou lhe contar. Você ainda era um bebê. Eu trabalhava numa indústria metalúrgica e voltava para casa de madrugada. Sua mãe também estava fora, quando vi um clarão. Meu coração disparou e eu corri. Já na esquina, vi que a nossa casa estava em chamas. Perguntei por você, e alguém me disse: "Infelizmente, não deu para tirá-lo. A criança está lá dentro'". Eu entrei, enfrentei as chamas, queimei todo o meu corpo, e essas mãos ficaram assim para que você fosse salvo. Hoje, você está se tornando médico, e o preço está aqui.

Ao ouvir aquilo, o rapaz abaixou os olhos, lançou-se ao pescoço do pai e gritou inúmeras vezes. Finalmente, na grande noite da formatura, diz a história que o jovem médico entrou diante de todos de mãos dadas com o pai. O que antes era vergonha, agora era glória. O que antes era repugnante, agora era benção. O que antes era derrota, agora era troféu. O que antes era desgraça, agora era beleza. E, ao receber seu diploma, com o pai ao lado, o jovem lhe disse: "As suas mãos são as mãos mais lindas do mundo".

O poço está perto de você, basta que Deus abra os seus olhos. Até porque Jesus de Nazaré, o mais rejeitado de todos os seres humanos, está conosco. E você, que vive a rejeição, precisa saber que, em Cristo, há cura para você. O poço está aí. E, se você quer que Deus abra os seus olhos da mesma maneira como abriu os de Hagar, peço que ore comigo.

Vamos orar

Pai, eu te louvo porque não me rejeitaste. A maior expressão da minha aceitação está no fato de que Jesus desceu dos céus à terra, pisou na sujeira deste planeta, viveu aqui por 33 anos e morreu na cruz por mim. A tua Palavra diz que ele sofreu o castigo para que eu fosse restaurado e recebeu açoites para que eu fosse curado. Sim, a nossa vitória custou as feridas do Senhor, a vida do teu Filho. Agora sei que a resposta está perto e que posso ser curado da dor da rejeição. Eu te peço que abras os meus olhos, para que eu beba dessa fonte de água viva e que, ao fazê-lo, encontre forças para reagir e refrescar a alma. Só tu podes fazer isso, Senhor, pois só tu conheces minha dor. Que eu sempre reconheça, e não me esqueça, que o Senhor de todas as coisas não me rejeitou, mas me aceitou em Cristo Jesus. Opera em minha vida e enxuga de meus olhos toda lágrima. Aquieta meu coração. Em nome de Jesus eu peço. Amém.

6

VENCENDO
O MEDO

Nossa sociedade está cada vez mais amarrada, sufocada, abafada e vergada pelo medo. São muitos temores, muitas fobias e síndromes, que tiram a alegria, sugam o desejo de viver e fazem as pessoas viverem uma alegria vegetativa, do ponto de vista existencial — sem felicidade, ânimo, esperança nem fé. Observa-se que há muitas pessoas caminhando pelas ruas da cidade e, mesmo frequentando as igrejas cristãs, estão vivas do ponto de vista biológico, mas emocional e espiritualmente já vivem a realidade da sombra da morte, em função dos medos que possuem.

As estatísticas mostram que em nosso país ocorre um homicídio a cada dezoito minutos. É uma realidade embrutecidas, que leva pais, mães e amigos a viverem com medo de que seus entes queridos não retornem para casa. Outros têm medo de iniciar relacionamentos, porque a expectativa de uma surpresa na vida relacional existe, é concreta. Há outros, ainda, com medo de perder o emprego, medo de altura, medo do amanhã... e por aí segue a humanidade, aprisionada por diferentes tipos de temores. Seja do que for, o medo é uma realidade.

Conversando com um empresário do setor imobiliário a respeito de uma área muito boa que surgiu na cidade de Recife, ele me disse: "Olha, pastor, para que qualquer empreendimento, hoje, dê certo, 90% do investimento depende de duas coisas: estacionamento e segurança, sobretudo. Porque as pessoas vivem com medo". Se eu perguntasse se você sentiu medo de algo esta semana, tenho certeza de que confirmaria. Pois vivemos numa sociedade abafada pelo medo.

A Bíblia é rica em relatos sobre medo. Um deles é o que trata do envio de um grupo de espiões israelitas à terra que Deus prometera entregar-lhes, a fim de fazer um reconhecimento da terra.

> Depois de passarem quarenta dias explorando a terra, os homens retornaram a Moisés, a Arão e a toda a comunidade de Israel em Cades, no deserto de Parã. Relataram o que tinham visto a toda a comunidade e mostraram os frutos que trouxeram da terra. Este foi o relatório que deram a Moisés: "Entramos na terra à qual você nos enviou e, de fato, é uma terra que produz leite e mel com fartura. Aqui está o tipo de fruto que nela há. Contudo, o povo que vive ali é poderoso, e suas cidades são grandes e fortificadas. Vimos até os descendentes de Enaque! Os amalequitas vivem no Neguebe, e os hititas, jebuseus e amorreus vivem na região montanhosa. Os cananeus vivem perto do litoral do mar Mediterrâneo e no vale do Jordão".
>
> Calebe tentou acalmar o povo que estava diante de Moisés. "Vamos partir agora mesmo para tomar a terra!", disse ele. "Com certeza podemos conquistá-la!"
>
> Mas os outros homens que tinham feito com ele o reconhecimento da terra discordaram: "Não podemos enfrentá-los! São

> mais fortes que nós!". Então espalharam entre os israelitas um relatório negativo sobre a terra, dizendo: "A terra que atravessamos ao fazer o reconhecimento devorará quem for morar ali! Todas as pessoas que vimos são enormes. Vimos até gigantes, os descendentes de Enaque! Perto deles, nos sentimos como gafanhotos, e também era assim que parecíamos para eles".
>
> Números 13.25-33

Os espiões são enviados para olhar a terra prometida, depois de anos de deserto, enfrentando todo tipo de sofrimento, mas também testemunhando toda sorte de milagres da parte de Deus em seu favor. Esse povo viu o mar ser aberto, o maná cair, as codornas serem enviadas como alimento, a água sair da rocha, enfim, viu milagres extraordinários. Todas as agruras do deserto foram superadas pela esperança de chegar à terra prometida, pela certeza da posse da bênção que Deus lhe havia afirmado que lhe daria quando da saída do Egito.

Porém, agora que os israelitas finalmente chegaram à margem do rio Jordão, defronte à benção, frente a frente com o destino tão aguardado e sonhado... *medo*. Um grupo de doze espiões é enviado para sondar, observar, avaliar e retornar com informações concretas sobre a terra, a fim de que possam desenvolver estratégias de tomada daquele território. Quando eles retornam, no entanto, dez fazem um relatório construído sobre o medo. Eu quero destacar pelo menos duas coisas que o medo produziu naqueles espiões e que também produz na minha e na sua vida.

Dois resultados do medo

O texto mostra que o primeiro resultado do medo é que ele produz um relatório negativo das circunstâncias. Observe que os espiões retornam de Canaã trazendo um cacho de uvas tão grande que dois homens precisam conduzi-lo. Esse cacho de uvas é o símbolo da terra que mana leite e mel. Contudo, tomados por medo, dez daqueles homens apresentam um relatório extremamente negativo. Quando priorizamos o negativo, a nossa tendência é viver sob o jugo do medo.

Os espiões começaram a dizer que a terra era boa, maravilhosa, mas, de repente, surge a adversativa da desgraça: "*Contudo*...". Depois de exaltar as vantagens da terra, os dez medrosos começam a sublinhar as desvantagens: "o povo que vive ali é poderoso, e suas cidades são grandes e fortificadas...". O medo era tão grande que eles conseguiram detalhar a localização daquele povo nas encostas, nos cumes, às margens do Jordão. O medo faz as pessoas serem extremamente detalhistas, as leva a ver coisas pequeninas. Nossos temores nos levam a dar enfoques pessimistas, negativos, derrotistas, e a olhar as coisas tendo como primeira impressão a possibilidade do fracasso, e nunca de bênção.

O medo faz as pessoas serem extremamente detalhistas, as leva a ver coisas pequeninas. Nossos temores nos levam a dar enfoques pessimistas, negativos, derrotistas, e a olhar as coisas tendo como primeira impressão a possibilidade do fracasso, e nunca de bênção.

Você já experimentou avaliar, por exemplo, uma casa? Você vai com alguém para conhecer um imóvel e, dependendo da mente de quem vai com você, ela rapidamente enumera sete, oito, dez defeitos da casa e, só depois de muita conversa, consegue mostrar as qualidades da casa, porque tem uma visão negativa da vida. É essa visão, determinada e dominada pelo medo, que precisa ser mandada embora da mente e do coração.

Certa vez, entrei numa casa acompanhado de uma senhora que era membro de uma igreja dessas que parecem que valorizam mais os demônios do que Deus. Em determinado momento, ela começou a ficar muito séria, pálida. O ambiente era gostoso, a dona da casa nos serviu um cafezinho, e lá para as tantas fiquei tão incomodado pela cara daquela senhora que lhe perguntei: "Minha irmã, a senhora está passando mal?". Ela respondeu: "Não, pastor, é que, quando eu olhei para aquelas cortinas, vi um monte de demônios". Eu retruquei: "A senhora precisa olhar para dentro. Abra as cortinas da sua alma, abra as cortinas do seu coração, deixe a luz do céu entrar. Tire os olhos negativos da vida". Depois, na convivência, fui percebendo que seu olhar para com o marido, os filhos, os amigos, a igreja, o que fosse, sempre era negativo. Era absolutamente difícil para ela ver coisas boas. Só depois de algum tempo é que fui informado de que aquela irmã vivia sob o jugo do medo.

A primeira consequência do medo em nossa vida é nos transformar em seres negativos, que só veem o que não presta, que só têm olhos para observar as coisas ruins. Ao sermos escravizados pelo medo, passamos a não saber ver virtudes, a olhar de forma distorcida para as boas coisas da vida. A Bíblia nos informa que toda a terra está cheia da glória de Deus. O que falta para que enxerguemos essa glória divina? A glória de Deus está nos pássaros, nas plantas, no cão sarnento que cruza a rua. Quando estamos cheios do Espírito Santo, até um sapo é bonito. Já o medo nos transforma em seres amargos, negativos, cabisbaixos, pessimistas, que caminham apenas em direção à derrota e para quem a vida é feia e cinzenta.

O segundo resultado do medo é que ele faz aquilo que tememos crescer aos nossos olhos. É impressionante como o medo hipertrofia o problema. Repare que os espiões israelitas retornam de sua missão de reconhecimento dizendo: "Todas as pessoas que vimos são enormes. Vimos até gigantes, os descendentes de Enaque! Perto deles, nos sentimos como gafanhotos, e também era assim que parecíamos para eles". Por menor que um homem seja, ele jamais será diante de outro do tamanho de um gafanhoto. Essa percepção distorcida da realidade aconteceu com eles e acontece conosco porque o medo hipertrofia o problema.

Quando começamos a viver debaixo do domínio do medo, tudo começa a ficar hipertrofiado. Você já vai ao médico apavorado. Qualquer diagnóstico já tira o seu sono. Você vai fazer uma viagem e começa a sofrer um mês antes e, se a viagem for aérea e houver notícia de que um avião caiu no Paquistão, você já se desespera e não quer mais voar. Se a viagem é de ônibus ou de carro, você se apavora com as estatísticas de acidentes nas estradas. Se for para andar a pé, o prisioneiro do medo se apavora também, afinal, vai que aparece um buraco no meio do caminho!

O medo paralisa, amarra, porque o fato de hipertrofiarmos o inimigo ou o problema produz uma das coisas mais tristes que podem acontecer na vida: a imobilização. Pessoas medrosas vivem imobilizadas, estagnadas. Pessoas medrosas são pessoas moribundas, estáticas, que apenas aguardam, pois se apavoram diante da chance de tomar uma iniciativa. O medo faz da pessoa uma estátua, pois ela perde toda a capacidade de tomar iniciativas — porque o medo faz os problemas parecerem maiores do que são.

Temos de encarar os problemas, pois ninguém os resolve fugindo deles. Problemas precisam ser enfrentados. Para isso, precisamos deixar o problema do tamanho que ele é, nem maior nem menor. Não faça com que aquilo que o amedronta diminua ou aumente aos seus olhos. Fite-o. Encare-o. E, então, com a correta dimensão de seu tamanho, enfrente-o e vença!

Como enfrentar o medo

Para enfrentar e vencer o medo, precisamos adotar duas atitudes: confiar em Deus e obedecer à sua Palavra. A primeira postura é a confiança no Senhor, como a Bíblia nos incentiva a fazer.

> Confie no Senhor e faça o bem, e você viverá seguro na terra e prosperará. Busque no Senhor a sua alegria, e ele lhe dará os desejos de seu coração. Entregue seu caminho ao Senhor; confie nele, e ele o ajudará. Tornará sua inocência radiante como o amanhecer, e a justiça de sua causa, como o sol do meio-dia. Aquiete-se na presença do Senhor, espere nele com paciência.
>
> Salmos 37.3-7

Quem tem um batedor como o Senhor não precisa viver com medo. Ele vai sempre à frente de nós. Com um batedor desse eu vou a qualquer lugar! Como o salmista escreveu: "Se eu tomar as asas do amanhecer, se habitar do outro lado do oceano, mesmo ali tua mão me guiará, e tua força me sustentará" (Sl 139.9-10). Por que ele disse isso? Confiança no Senhor! Certeza de que o Todo-poderoso administra, gerencia, cuida. Não tenha medo, não se preocupe com o dia de amanhã. O Senhor Jesus está à frente. Viver sob os cuidados de Deus é abdicar do medo e confiar.

A segunda atitude para vencer os nossos temores é obedecer às Escrituras. Eu duvido que alguém que viva em obediência caminhe debaixo de medo. Jesus nunca criou caminhos complicados para dar suas instruções, ele é objetivo. Jesus é rápido e certeiro: ele manda perdoar o irmão, não adulterar, não matar. Não há muito o que explicar, porém há tudo a obedecer. Ninguém precisa estudar a Bíblia para entender o que significa não matar, não adulterar, não furtar, porque a Palavra de Deus vai na veia: é só obedecer.

Não tenha medo, não se preocupe com o dia de amanhã. O Senhor Jesus está à frente. Viver sob os cuidados de Deus é abdicar do medo e confiar.

O problema é que muitas pessoas obedecem a Deus para conseguir obter benefícios dele. Oram assim: "Senhor, já faz um ano que eu não peco, está na hora de o Senhor trocar meu carro. O Senhor sabe que aquele pecado eu alisava, porque eu gostava, era uma maravilha, mas, por amor ao Senhor, eu parei. Agora, por favor, dê-me a devida recompensa".

A vitória na vida com Deus está em obedecer a ele para ter Deus e não para ter as coisas que Deus dá. Foi o que Rute fez com Boaz: enquanto as outras queriam o campo, ela disse: "Eu fico com Boaz". No fim, Rute acabou ficando com o campo e com o o dono do campo. A vitória sobre uma vida de medo reside sobretudo no fato de se viver com Deus por amor a Deus; de se obedecer a Deus por amor a Deus; de não transformar Deus em um despachante, mas apaixonadamente olhar para o Senhor e dizer: "Ainda que eu não tenha as minhas orações atendidas, é contigo que eu vou, porque eu não saberia mais viver sem ti".

Quem anda com Deus por amor a Deus, quem obedece a Deus por amor a Deus jamais será frustrado e nunca sofrerá decepções. Você pode se decepcionar comigo, porque sou homem e falho, mas você jamais se decepcionará com Deus. Esta é a chave para se vencer o medo: confiança e obediência.

É possível que muitos vivam sob uma nuvem de medos: medo do amanhã, do desemprego, de ficar sozinho, de perder um relacionamento, de ir à falência, da conjuntura econômica, até mesmo medos incompreensíveis. Há mesmo aqueles que frequentam a igreja porque têm medo, não são movidos por amor a Cristo e desejo de adorá-lo, mas por medo de não dispor de sua proteção. O que tenho procurado ensinar neste livro é que a motivação da fé é o amor e jamais o medo; no entanto, muita gente vive sob o jugo do medo: ora porque tem medo, lê a Bíblia porque tem medo, jejua porque tem medo, vai aos cultos porque tem medo, trabalha nos ministérios porque tem medo... Eu quero chamá-lo a derrotar o medo na sua vida. A dizer, como Calebe: "Vamos partir agora mesmo para tomar a terra! Com certeza podemos conquistá-la!".

Vamos orar

Pai, tu sabes vivemos em um mundo enfermo, que nos condiciona a temer. Nós vivemos sob o império do medo. As nações vivem com medo uma das outras, os homens vivem com medo uns dos outros, os filhos sentem medo dos pais, os cônjuges sentem medo um do outro. São medos que tiram a alegria e instalam o nervosismo. Eu te peço, Senhor Jesus, que, agora, tu desembainhes a tua espada e derrotes o medo para a glória do teu nome! Que a minha alma seja invadida pela certeza irremovível de que em Cristo não há medo. A tua palavra diz que Deus é amor e no amor não há medo. Abre os meus olhos para que eu veja quem vai à nossa frente! Eu te peço que desças agora sobre minha vida e derrames um bálsamo de paz, sossego, tranquilidade e segurança. Ajuda-me a encarar os adversários, as circunstâncias e o medo, e que eu saia vencedor desse confronto, para a glória do teu nome. Em nome de Jesus eu peço. Amém.

7

VENCENDO A DOR DA PERDA

Não há dúvida de que é muito difícil perder quem amamos, principalmente quando aquilo que se chama de ordem natural das coisas é subvertida, isto é, quando o ritmo e a naturalidade da vida criam um consenso de que são os filhos que devem sepultar os pais, e não os pais sepultar os filhos. E essa inversão promove, segundo a psicanálise, a maior dor que um ser humano pode sentir. A morte é universal, niveladora, sempre e tristemente socializadora, porque ela não faz acepção de pessoas. Ela é misteriosa, porque, por mais brilhante que seja a mente, é incapaz de compreender, de digerir e de explicar a contundência da morte.

Certa vez, um jornalista perguntou ao meu pai se ele tinha medo da morte, e a resposta foi: "Medo não tenho, mas gostar, não gosto". Isso porque a morte é uma intrusa, é uma penetra. Ela não fazia parte da criação de Deus, mas surgiu como realidade após a desobediência, a queda, o pecado. Para quem fica, ela traz muitas consequências, mas, sem dúvida, a maior de todas é a saudade que invade o coração.

No entanto, relembro o grande poeta pernambucano Manuel Bandeira, quando afirmou que saudade é a felicidade que ficou. Ninguém tem saudade de coisas ruins. Ninguém tem saudade de pessoas nocivas. A saudade é proporcionalmente relacionada ao valor e ao bem que a pessoa que partiu nos fez. As lágrimas derramadas são o maior discurso da saudade. Elas não evidenciam desespero, principalmente no caso de cristãos. Porém, ainda que o coração não entre em desespero, por estar encharcado pela esperança, não somos imunes à saudade. E, por termos um coração possivelmente sensibilizado pela Palavra de Deus, sentimos de forma extremamente aguda a saudade dos nossos amados que partem.

Ainda que o coração não entre em desespero, por estar encharcado pela esperança, não somos imunes à saudade. E, por termos um coração possivelmente sensibilizado pela Palavra de Deus, sentimos de forma extremamente aguda a saudade dos nossos amados que partem.

O evangelista João registrou um episódio muito elucidativo da vida de Jesus, quando ele é avisado de que seu querido amigo Lázaro estava à beira da morte. Ele demora para se dirigir à cidade de Betânia, onde se encontrava o enfermo e as duas irmãs dele, Maria e Marta. Até que, enfim, o Senhor se dirige ao local. Aparentemente, é tarde demais, pois Lázaro já havia morrido.

> Quando Marta soube que Jesus estava chegando, foi ao seu encontro. Maria, porém, ficou em casa. Marta disse a Jesus: "Se o Senhor estivesse aqui, meu irmão não teria morrido. Mas sei que, mesmo agora, Deus lhe dará tudo que pedir".
>
> Jesus lhe disse: "Seu irmão vai ressuscitar".

> "Sim", respondeu Marta. "Ele vai ressuscitar quando todos ressuscitarem, no último dia."
>
> Então Jesus disse: "Eu sou a ressurreição e a vida. Quem crê em mim viverá, mesmo depois de morrer. Quem vive e crê em mim jamais morrerá. Você crê nisso, Marta?".
>
> "Sim, Senhor", respondeu ela. "Eu creio que o senhor é o Cristo, o Filho de Deus, aquele que veio ao mundo da parte de Deus".
>
> João 11.20-27

No texto lido, as irmãs de Lázaro viviam o momento mais agudo da dor da perda. Elas choravam o vazio deixado pelo único irmão que possuíam. E é nesse texto que encontramos alguns passos que, se dermos de acordo com as Escrituras, ajudam a minimizar o sofrimento da saudade daqueles que partiram.

Superando a dor

Primeiro, esse episódio da vida de Jesus nos ensina que devemos aceitar a morte como algo inevitável, mas também devemos crer que quem partiu está com Deus. A morte é uma determinação divina, em consequência a um ato humano. Assim como Lázaro, todos nós morreremos. Ironicamente, é a maior certeza da vida, e não nos preparamos devidamente para ela.

A Bíblia nos ensina que pessoas partem diariamente ao encontro de Deus. Quando perdemos um ente querido, é normal que indagações surjam em nossa mente. Por quê? Como pôde? Por que Deus permitiu? Essas são questões que surgem no calor emocional, nas ondas psicológicas que ainda não se arrumaram, mas que vão sendo, calma e mansamente, respondidas pelo Espírito Santo durante a vida cotidiana de uma forma que ninguém pode explicar.

Se há uma coisa que só Deus pode e sabe explicar é o mistério da morte. Para nós, o consolo que achamos na Bíblia é a expressão do apóstolo Paulo que diz: "Se vivemos, é para honrar o Senhor. E, se morremos, é para honrar o Senhor. Portanto, quer vivamos, quer morramos, pertencemos ao Senhor" (Rm 14.8).

Li um livro a respeito de um missionário que foi enviado à China para pregar a Palavra de Deus e soube da morte de uma pessoa que frequentava a sua pequena comunidade. Ele tentou achar uma palavra na língua nativa para "consolação", mas não conseguiu. Até que, finalmente, encontrou outro nativo e lhe disse: "Para onde você vai?" Aquele nativo respondeu: "Eu vou à casa de uma pessoa amiga minha que morreu, a fim de levar consolação". A expressão que aquele homem usou para se referir a "consolação" era a mesma utilizada para "esquina". O missionário formulou, então, o conceito de consolação para aquela comunidade na China: "Consolação é quando Deus nos ajuda a enfrentar as esquinas da vida, isto é, as surpresas da vida, o imponderável, o não programado, o não planejado, o não estabelecido".

Consolação é quando Deus nos ajuda a enfrentar as esquinas da vida, isto é, as surpresas da vida, o imponderável, o não programado, o não planejado, o não estabelecido.

Segundo, o texto nos ensina a encarar a morte como uma oportunidade de demonstrar amor e solidariedade aos que estão feridos pela realidade do ente querido que partiu. Os enlutados precisam de amor e apoio. É interessante que, até hoje, quando os judeus morrem, algumas providências são tomadas: eles cobrem todos os espelhos da casa onde o luto está, que permanecerão assim por sete dias — para que, simbolicamente, as pessoas não se olhem e vejam a própria fisionomia abatida. Além disso, durante sete dias, uma família diferente vai tomar o café da manhã com os enlutados, para expressar solidariedade e demonstrar amor. Isso é feito porque, nessas ocasiões, não é a palavra que resolve, é a presença. São os atos, o calor, o abraço, a companhia. É por isso que o Espírito Santo é o grande Consolador, porque ele não é um teórico, mas está conosco e em nós, a fim de aquecer o nosso coração. E, nesse texto do Evangelho de João, Jesus demonstra solidariedade e chega a chorar.

Terceiro, a Escritura nos ensina a crer e a confiar em Jesus e na certeza dessa consolação. O pastor americano Norman Vincent Peale disse: "O primeiro passo importante para enfrentar a dor é pedir a Jesus que alivie a sua angústia, e acreditar que ele assim o faz". O maior de todos os antídotos para o desgosto e a saudade é acreditar que Cristo administra o seu bálsamo sobre o coração ferido. Marta e Maria fizeram isso. Quando o racional não explica, a fé socorre. E o maior conforto que podemos ter é crer que os que morrem no Senhor, com ele viverão eternamente. Esse é o benefício que o incrédulo não tem.

Até logo

Um conhecido meu, Rafael Gioia Martins, adoeceu gravemente e, em seu leito de morte, despediu-se dos filhos com um "até logo", um "até breve" e, ao caçula, ele disse um lacônico "adeus". Aquilo perturbou o rapaz, que disse: "Papai, a todos o senhor disse 'até logo' e 'até breve', mas a mim disse 'adeus'. Por quê?" Aquele velho pregador do evangelho respondeu: "Porque você, meu filho, ainda não tomou a decisão que garantirá que nos encontraremos na eternidade". Um dos livros escritos pelo filho, Giógia Junior, relata que ali, naquela hora, em lágrimas, ele beijou seu pai e disse: "Pode descansar em paz, esta hora é a hora da minha entrega ao Senhor Jesus Cristo". O velho pregador ainda teve forças para olhar para o filho e dizer: "Então, até logo".

Foi crendo nisso que o apóstolo Paulo disse: "Pois, para mim, o viver é Cristo, e o morrer é lucro" (Fp 1.21). A um incrédulo, isso soa como loucura. No entanto, essas palavras revelam um coração entregue à viagem, à aventura e ao voo da fé. E Paulo explica que partir e estar com Cristo "seria muitíssimo melhor" (v. 23).

Há alguns anos, um moço que foi minha ovelha viu o filho de 18 anos morrer fulminado por um infarto na mesa do almoço, quando toda a família estava reunida. A dor foi sentida, houve choro e, quinze dias depois, a filha de 15 anos tomava banho na praia de Tambaú, em João Pessoa (PB), quando foi acometida por um mal súbito e ali morreu. Em duas semanas ele viu a família reduzida a um filho. Eu pastoreei aquele moço durante alguns anos e conhecia seu compromisso sincero com Cristo.

Pouco tempo depois, aconteceu um fato extraordinário. Aquele irmão foi a uma agência do Banco do Brasil e encontrou um ex-colega, gerente, que se dizia ateu. Quando viu minha ovelha entrar, dirigiu-se ao moço e indagou: "Onde está o seu Deus? Que Deus é esse que tira de você aquilo que você tem de mais importante? Esse seu Deus levou as coisas mais importantes de sua vida! Ele tomou o que era seu". Foi quando aquele servo de Deus respondeu calmamente: "Não, Deus levou o que era dele. Eu apenas tomava conta temporariamente".

O impacto dessa declaração foi tão grande que aquele gerente converteu-se e hoje é membro de uma igreja batista em João Pessoa. É isso o que nos consola, porque palavreado humano não resolve. Palavreado humano não aquece. O que nos aquece é a certeza de que Deus faz tudo formoso no seu devido tempo, e nós não entendemos. E, se não entendemos, é hora da caminhada na fé, porque ele tudo sabe.

> *Palavreado humano não aquece. O que nos aquece é a certeza de que Deus faz tudo formoso no seu devido tempo, e nós não entendemos. E, se não entendemos, é hora da caminhada na fé, porque ele tudo sabe.*

Lembro-me de um episódio muito marcante que envolveu dona Lacy, mãe do conhecido pastor Caio Fábio. Há cerca de trinta anos, os filhos dela ainda eram adolescentes e nenhum deles era convertido, à exceção do caçula, Luiz, de 18 anos. Luiz era um menino firme na fé, temente a Deus, e, num fim de semana, ele foi com alguns amigos a um acampamento da Igreja Presbiteriana de Manaus, a fim de passar aqueles dias em oração e jejum. Na volta, eles começaram a pegar caronas, e Luiz foi para a margem da estrada. Um carro aproximou-se e ele fez sinal. O motorista parou, ele entrou rapidamente, fechou a porta e o motorista arrancou. Foi quando Luiz percebeu que o motorista estava completamente embriagado, o que o levava a dirigir de forma irresponsável. Mais adiante, um acidente aconteceu. A porta do lado do Luiz abriu, ele caiu, bateu com a cabeça no asfalto e teve uma morte instantânea. Dezoito anos! O único da família que era realmente consagrado a Deus. Conhecidos procuraram dona Lacy para lhe dar a notícia.

Chegando à casa dela, com muito cuidado comunicaram àquela mãe que Luiz havia partido para a eternidade. Silenciosamente, ela saiu da sala, foi para seu quarto, fechou a porta, ajoelhou-se, orou e abriu a Bíblia. Foi quando leu Isaías 57.1, que diz assim: "O justo perece, e o fiel muitas vezes morre cedo, mas ninguém parece se importar nem se perguntar por quê. Ninguém parece entender que Deus os poupa do mal que virá". Dona Lacy fechou a Bíblia e disse: "Vou chorar todas as lágrimas que eu puder chorar por meu filho, mas o meu coração agora descansa em paz". Nós não teríamos a pretensão de tentar explicar, de querer, com fraseado, contornar a saudade e a dor; no entanto, não há como negar a verdade de que o Espírito Santo é o grande Consolador e que a saudade permanecerá.

Foi na noite de 31 de dezembro, quando eu pregaria no culto de passagem de um ano para o outro em que, na tarde daquele dia, de forma inesperada, tive de fazer o culto fúnebre de minha mãe. Não foi fácil, mas, em alguns momentos, eu me surpreendi e me questionei diante da paz que havia no meu coração. Finalmente, lembrei-me de que o Espírito Santo é Consolador, que nos aquece, abraça, afaga. Ele é tão sábio que não anula a saudade, mas consegue fazer com que sintamos saudade sem desespero nem agonia. Ele nos leva a transformar em lágrimas o vazio e, ao mesmo tempo, a bendizer a Deus. É nessas horas que a nossa fé é valiosa, que descobrimos que ela não é um discurso intelectual. É nos momentos de perda que descobrimos que o nosso líder venceu e, por essa razão, nós venceremos.

Se eu fosse de qualquer outra religião, não teria nenhuma razão para ter esperança de vencer a morte, porque os fundadores dos demais credos que existem morreram e foram sepultados. No entanto, a nossa fé repousa sobre alguém que venceu a morte. Se você for a Israel e visitar, em Jerusalém, o Jardim de Arimateia, verá o túmulo onde acredita-se que o Senhor foi sepultado limpo, arejado, iluminado, cheiroso. Ali, em letras de bronze, há uma inscrição: "Ele não está aqui. Ele ressuscitou".

Não é devaneio, nem invenção de religiosidade quando afirmamos que nos encontraremos com quem partiu em Cristo na presença de Deus, sem a escravidão do tempo, sem a limitação do espaço. Pena se tem de quem não crê. Para quem não crê, a história terminou, o epílogo aconteceu, a porta fechou. Para quem não crê, o lacre foi colocado. Mas, para quem crê, essa é a hora da maior vitória. "Eu sou a ressurreição e a vida. Quem crê em mim viverá, mesmo depois de morrer. Quem vive e crê em mim jamais morrerá." Glória a Deus! Assim será conosco, num lugar em que lágrimas não existirão, pois diz o texto bíblico que Deus mesmo enxugará dos nossos olhos todas as nossas lágrimas.

Que o Senhor faça o que nenhum de nós pode fazer. Que ele invada o seu coração com a certeza bendita de que nós iremos nos encontrar e estaremos com ele por toda a eternidade. A semente brotou e a flor nasceu; agora, para quem partiu, é vida e vida em abundância na eterna presença do Pai.

Vamos orar

Pai amado, temos certeza de que nossos olhos serão enxutos de toda lágrima. E a certeza é esta: um dia, nós não sabemos quando, mas todos nós, os que cremos, nos reencontraremos. A morte para nós nunca será o fim, mas a certeza de que, em Cristo, ressuscitaremos; que, em Cristo, temos vida eterna; que, em Cristo, seremos consolados. Pai eterno, consola nosso coração, entristecido pela perda de um ente querido. Dá-nos a certeza de que Jesus Cristo é esse Senhor, o nosso pastor, e nada permitirá que nos falte. Tal qual disse o profeta, queremos todos nós trazer à memória aquilo que nos dá esperança, e a nossa esperança é o Emanuel, Deus Conosco, Jesus Cristo, o galileu, o nazareno. É assim e no nome dele que te pedimos, agradecidos, hoje e para todo o sempre. Amém.

8

VENCENDO
A CULPA

Quem lida com vidas sabe que um dos espinhos mais dolorosos da alma, e que mais avarias produz na mente de uma pessoa, é o espinho da culpa. Aliás, a culpa é o problema básico, primal do ser humano. Não foi à toa que toda a psicanálise da linha de Freud, de Jung e de outros pensadores construíram seus princípios na solução ou no tratamento desse sentimento que habita todos os seres humanos. Você pode até achar estranho, mas as estatísticas mostram que o problema da culpa é a causa de muitos suicídios, de muitos homicídios, da depressão de muitas pessoas.

Conversei certa vez com um médico e ele me fez ver várias expressões de enfermidades mentais chamadas de demências, fraquezas, fragilidades, debilidades, e me relacionou pelo menos vinte e uma dessas manifestações, que podem surgir a qualquer hora. A culpa é algo terrível, principalmente, quando alguém se sente culpado por algo que não fez. A culpa real, aquela provocada pelo fato de a pessoa ter consciência do erro praticado, é dolorosa, mas torna-se muito mais doentia, patológica e grave quando tem causas irreais, quando é produzida pelas circunstâncias, gerada pela opinião de terceiros, fabricada pela religião — que tem na culpa uma forma de domínio. Tudo isso produz doença. Tudo isso gera enfermidades

Essa história da culpa começou há muito tempo, no Éden. É interessante notar como toda a geração de lá para cá praticou os mesmos exercícios de culpa, como, por exemplo, transferi-la para terceiros: o ser humano tem uma necessidade enorme de culpar alguém. Quando alguém comete um deslize, a primeira preocupação é ter alguém a quem culpar. Isso ocorre desde a primeira infância, basta ver a quantidade de vezes que um irmão tenta jogar a culpa por seus atos sobre o irmãozinho.

E, na medida em que a pessoa vai crescendo, em vez de esses sentimentos desaparecerem, eles vão se tornando mais elaborados, sutis, construídos. Essa necessidade, inerente à natureza humana, de culpar alguém permeia toda a vida. Assim foi com Adão. Quando ele é confrontado por Deus, sua primeira reação é transferir a culpa, quando diz: "Foi a mulher que me deste! Ela me ofereceu do fruto, e eu comi" (Gn 3.12). Deus fala com a mulher e ela também tenta transferir a culpa: "A serpente me enganou [...]. Foi por isso que comi do fruto" (v. 13). E ali começa um processo que dura até o dia de hoje.

Eu conheci uma pessoa que cometeu um erro grave. A primeira orientação que recebeu foi: "Negue, não assuma a culpa. Não diga que fez, não comente que fez. Não faça isso!". Ele recebeu essa orientação porque a "solução" na sociedade sem Deus está em achar culpados e safar-se da culpa que é sua.

No caso de Adão e Eva, a solução veio de Deus. Diz a Bíblia que ele providenciou vestimentas de peles de animais.

Quando a queda aconteceu, Adão foi tomado pela consciência de algumas realidades até então desconhecidas. Ele, por exemplo, viu-se nu. Não que antes não estivesse, mas, depois do pecado, os olhos e a mente da humanidade foram absolutamente tomados pela malícia, pela maldade, e aquilo que antes era absolutamente natural, normal e puro, tornou-se impuro. E o primeiro homem, então, percebe-se culpado de sua nudez.

Depois do pecado, os olhos e a mente da humanidade foram absolutamente tomados pela malícia, pela maldade, e aquilo que antes era absolutamente natural, normal e puro, tornou-se impuro.

O resultado? Adão procura fugir de Deus, achar um lugar onde o Onisciente não pudesse encontrá-lo, como se isso fosse possível. Finalmente, ele esconde-se, e a solução vem quando Deus providencia a cobertura com peles de animais. Aí está implícito o sacrifício. Para que a pele do animal cobrisse Adão e Eva foi necessário, obviamente, que animais morressem. Esse é o primeiro registro da história de um inocente morrendo por um culpado, pagando pela culpa que não era sua. O pobre animal não tinha absolutamente nada a ver com o erro, o pecado, a desobediência, a transgressão. Ainda assim, ele pagou com o sangue derramado para cobrir a falta daqueles outros.

Muito do conflito da psique, da mente humana, vem da má compreensão da culpa. É quando a pessoa começa a ter sentimentos sem origem aparente, a ficar abatida, deprimida. Ela começa a se isolar, torna-se meio hipocondríaca, desenvolve tendências autodestrutivas e suicidas ou, então, parte para o outro extremo: desejos sádicos e até homicidas.

Do ponto de vista psicológico, isso vai sendo elaborado e construído, e a culpa sempre vai sendo transferida. Nos aconselhamentos pastorais, já ouvi muito argumentos como: "Ah, pastor, eu sou assim porque fui criado assim". Ou seja, é uma forma sutil, astuta, esperta, de dizer: "A culpa é de minha mãe", "a culpa é do meu pai", "eu errei, fiz o que não era para fazer, transgredi, vivo uma vida desordenada, mas a culpa é de meus pais, porque eu fui criado assim".

Algumas pessoas com uma penetração teológica mais sutil argumentam: "Deus me fez assim", e jogam a culpa em Deus. Portanto, Deus que se vire! Há, ainda, aqueles que culpam a esposa: "Eu era um indivíduo bom e equilibrado, mas a convivência com ela me desmantelou"; ou, então, o oposto, esposas que dizem: "Pastor, o senhor devia ter me conhecido antes de eu me casar com ele". E, assim, vamos transferindo a culpa.

Jesus, Sumo Sacerdote perfeito

O fato é que, de alguma forma, alguém tem de pagar pelo outro. Esse princípio da transferência de culpa está enraizado na natureza humana, seja qual for a expressão. Você pode pegar qualquer rito religioso, qualquer tratado de psicologia, e vai perceber em tudo isso a mesma lógica. Qual?

Primeiro, o inocente é quem paga o pato pelo culpado. Você nunca vai encontrar um culpado pagando pelo outro. Porque, se um culpado quiser pagar por mim, vou dizer: "Esse é pior do que eu. Meu amigo, esse, em vez de resolver meu problema, vai complicar". Então, há uma consciência coletiva que sempre um inocente tem de pagar pelo culpado.

Segundo, em todos esses ritos, há a exigência do sangue, a ideia do sacrifício, da morte expiatória, substitutiva, justificativa, a ideia de alguém no meu lugar morrendo para que eu não morra.

E, terceiro, a presença do sangue nos ritos sacrificiais de todas as religiões, para selar o pacto, o acordo de redenção entre o culpado e a divindade adorada — seja ela qual for. Já que todos nós de alguma forma sofremos desse mal, ele se instala em maior ou menor grau, tenhamos ou não consciência disso, elaboremos ou não racionalmente essa realidade, nós somos atingidos, e muitas vezes esse espinho da culpa nos acorda quando estamos dormindo em plena madrugada. Quando isso acontece, os pensamentos se sucedem e a pessoa vive um tormento. No caso daqueles que não conhecem Jesus como Senhor e Salvador, esse peso é um tormento eterno.

A pergunta que se faz necessária é: o que nós, cristãos, podemos fazer, ou a quem recorrer, no intuito de vencer a culpa, sem que seja preciso fazer rituais de expiação ou exercícios neuróticos? A resposta é: olhar para Jesus, o único sumo sacerdote. Por quê? Porque era o sacerdote que tratava a culpa das pessoas. O culpado era levado a ele para que o rigor da lei fosse aplicado. O culpado era levado a ele para que ele fosse ou punido ou perdoado. E, para haver perdão, era necessário sacrificar. De acordo com a posição social, os animais eram levados para o sacrifício e, com o derramamento de sangue, haveria ou não perdão. Havendo o perdão, havia expiação e a culpa era declarada perdoada, para alívio da psique da pessoa.

> Esse novo sistema foi instituído com um juramento solene. Os outros se tornaram sacerdotes sem esse juramento, mas a respeito dele houve um juramento, pois Deus lhe disse:
>
> "O Senhor jurou e não voltará atrás: 'Você é sacerdote para sempre'".

Por causa desse juramento, Jesus é aquele que garante uma aliança superior.

Além disso, havia muitos sacerdotes, pois a morte os impedia de continuar a desempenhar suas funções. Mas, visto que ele vive para sempre, seu sacerdócio é permanente. Portanto, ele é capaz de salvar de uma vez por todas aqueles que se aproximam de Deus por meio dele. Ele vive sempre para interceder em favor deles.

É de um Sumo Sacerdote como ele que necessitamos, pois é santo, irrepreensível, sem nenhuma mancha de pecado, separado dos pecadores e colocado no lugar de mais alta honra no céu. Ele não precisa oferecer sacrifícios diariamente, ao contrário dos outros sumos sacerdotes, que os ofereciam primeiro por seus próprios pecados e depois pelos pecados do povo. Ele, porém, o fez de uma vez por todas quando ofereceu a si mesmo como sacrifício. A lei nomeava sacerdotes limitados pela fraqueza humana. Mas, depois da lei, Deus nomeou com juramento seu Filho, que se tornou o Sumo Sacerdote perfeito para sempre.

Hebreus 7.20-28

Confiança em Cristo

Nós, cristãos, podemos confiar em Jesus por algumas razões diferentes.

Primeira, pelas qualidades de Cristo. Ele é qualificado porque jamais viveu a agonia da culpa. Puro, reto, temente ao Pai, de caráter limpo. Podemos confiar nesse Sumo Sacerdote e na eficiência espiritual do seu trabalho, porque o que ele fez na cruz é para sempre. Bendito seja o seu nome! Quando ele disse “Está consumado”, consumado estava, pois, quando Jesus diz que algo está pago, pago está.

Muitas igrejas ensinam uma salvação tipo hotel com café da manhã. Se o hóspede quiser almoçar e jantar, paga à parte. Certos tipos de pregação dizem: "Jesus morreu por você e pagou por seus pecados. Agora, você tem de pagar pelo resto; o que vem pela frente você paga". Mas a pessoa naturalmente se verá sem moeda, sem capital espiritual, sem ter como negociar, porque, por mais que tente, não consegue, por mais que pense que pode, não pode. A única forma de tirar da alma o espinho da culpa é crer na eficácia do sacrifício de Jesus.

Segunda razão por que podemos confiar em Cristo é porque o seu sacrifício é irrevogável. Não há quem mude essa realidade, não há quem a altere. Não há quem transforme a maneira como a oferta vicária de Jesus foi efetuada. Ela foi entregue e vale por toda a eternidade.

Não há quem transforme a maneira como a oferta vicária de Jesus foi efetuada. Ela foi entregue e vale por toda a eternidade.

Terceira, porque o sacrifício de Cristo é suficiente. Isso significa que não há mais nada que você precise fazer. Eu creio plenamente que cristãos que não entendem isso não desfrutam da grande bênção da salvação na terra, que é ter uma consciência pacificada, um coração tranquilo, um sono agradável. Entender a suficiência do sacrifício de Cristo nos leva a ter certeza absoluta de que a culpa que nos cabe foi levada, que alguém pagou por nossa culpa e disse: "Deixe comigo, eu resolvo". O apóstolo Paulo disse que Jesus "cancelou o registro de acusações contra nós, removendo-o e pregando-o na cruz" (Cl 2.14). Em outras palavras, Jesus pegou a dívida que tínhamos e que nos levaria a sentir culpa, a pagou e a encravou na cruz do Calvário, rasgou a duplicata, a promissória e, quando o cobrador chegar, não terá do que nos acusar.

Quarta razão por que podemos confiar em Cristo: sua intercessão é incessante. Novas galáxias estão surgindo a cada novo dia; milhões de meteoros estão se chocando no espaço com diferença de poucas horas; enquanto você lê este livro, milhões de peixinhos nascem no fundo dos mares, dos lagos e dos rios. No entanto, tudo isso tem uma intermitência, é algo que para e continua, continua e para. Só há uma coisa que não para: a intercessão de Jesus por mim e por você junto ao Pai.

Conclusões

Quais são as conclusões que o entendimento dessas realidades nos proporcionam e das quais podemos extrair alívio para a alma, a psique, no que se refere à culpa? Quatro conclusões abençoadoras vêm sobre a nossa vida.

Primeira, quando caímos, não permanecemos prostrados. O que a Palavra de Deus nos ensina é que não devemos viver a neurose da infalibilidade, porque, como diz o teólogo Júlio Zabatiero: "Vão dormir tranquilos, porque amanhã vocês vão pecar de novo. Não tem jeito, é a natureza, é o que somos, não é o que fazemos prioritariamente, é o que somos". Ainda que tentemos nos esconder, como Adão, o fato é que Deus "nos procura" e "acha", como fez com Adão. O amor de Deus por você é maior que seu pecado, que suas falhas, que suas derrapadas. De vez em quando, você foge pela tangente, escapa, escorrega, quebra-se. Saiba que antes que você procure a Deus, ele o procurará. Por essa razão, quando cair, tenha consciência de uma coisa: você não ficará prostrado.

Segunda, quando estamos em pé, não podemos nos tornar arrogantes. A Bíblia orienta a todos os que estão em pé que tomem cuidado para não cair. Cuidado! Se estamos em pé, não podemos ficar arrogantes simplesmente porque o merecimento é todo de Jesus e não nosso. Muita gente que acha que orar é usar um vocabulário bonito e construir uma teologia bem formada, mas tudo isso é tolice. O que Davi mostra é que o coração dele é sincero. Leia o início do salmo 139 e veja como ele se derrama em sinceridade e verdade.

Saiba que antes que você procure a Deus, ele o procurará. Por essa razão, quando cair, tenha consciência de uma coisa: você não ficará prostrado.

> Ó Senhor, tu examinas meu coração e conheces tudo a meu respeito.
>
> Sabes quando me sento e quando me levanto; mesmo de longe, conheces meus pensamentos.
>
> Tu me vês quando viajo e quando descanso; sabes tudo que faço.
>
> Antes mesmo de eu falar, Senhor, sabes o que vou dizer.
>
> Vais adiante de mim e me segues; pões sobre mim a tua mão.
>
> Esse conhecimento é maravilhoso demais para mim; é grande demais para eu compreender!
>
> É impossível escapar do teu Espírito; não há como fugir da tua presença.
>
> Se subo aos céus, lá estás; se desço ao mundo dos mortos, lá estás também.
>
> Se eu tomar as asas do amanhecer, se habitar do outro lado do oceano, mesmo ali tua mão me guiará, e tua força me sustentará.
>
> Eu poderia pedir à escuridão que me escondesse, e à luz ao me redor que se tornasse noite, mas nem mesmo na escuridão posso me esconder de ti.

Para ti, a noite é tão clara como o dia; escuridão e luz são a mesma coisa.

Tu formaste o meu interior e me teceste no ventre de minha mãe.

Eu te agradeço por me teres feito de modo tão extraordinário; tuas obras são maravilhosas, e disso eu sei muito bem.

Tu me observavas quando eu estava sendo formado em segredo, enquanto eu era tecido na escuridão.

Tu me viste quando eu ainda estava no ventre; cada dia de minha vida estava registrado em teu livro, cada momento foi estabelecido quando ainda nenhum deles existia.

Como são preciosos os teus pensamentos a meu respeito, ó Deus; é impossível enumerá-los!

Não sou capaz de contá-los; são mais numerosos que os grãos de areia.

E, quando acordo, tu ainda estás comigo.

Salmos 139.1-18

Que coisa linda! Que entrega e que reconhecimento! Mas... de repente, o tom muda completamente e o salmista Davi escancara o seu coração: "Ó Deus, quem dera destruísses os perversos..." (Sl 139.19). Que coisa! Você pode se questionar: como um indivíduo sai com uma dessa no meio de uma oração? A resposta está no fato de que, justamente, o coração de Davi é sincero, exposto. Se ele estava com ódio, não diria a Deus: "Eu amo meus inimigos". Davi não era hipócrita. Imagine Davi com o coração palpitando de ódio e dizendo: "Senhor, tu sabes que eu amo meus inimigos". Isso seria pura hipocrisia. Davi aprendeu que o melhor é abrir o coração e dizer a verdade, mesmo que essa verdade não revele a posição em que você deveria estar.

A verdadeira oração é a que transparece a verdade do coração. Não é a que os lábios constroem, nem a elaboração da mente, tampouco a titulação que se dá a Deus: é a verdade no íntimo. É quando digo a Deus o que eu sou até onde eu vejo, e não quando eu tento passar verniz. Por isso, não há arrogância.

Terceira conclusão, quando estamos fracos, não estamos desamparados. Sabemos que há alguém de plantão, que há alguém que não dorme, que há alguém que não falha, que enquanto estamos dormindo ele está intercedendo. É a intercessão de Jesus junto a Deus por nós, não é a nossa verborragia que gera frutos. Basta que Cristo mostre ao Pai as mãos transpassadas pelos cravos da cruz, o lado, as cicatrizes, as marcas do sofrimento vicário. E quando isso é apresentado ao Pai, a ira que viria sobre mim é desviada, por amor ao Filho, e a culpa que deveria me devorar é jogada sobre ele. Assim, fico livre!

A verdadeira oração é a que transparece a verdade do coração. Não é a que os lábios constroem, nem a elaboração da mente, tampouco a titulação que se dá a Deus: é a verdade no íntimo. É quando digo a Deus o que eu sou até onde eu vejo, e não quando eu tento passar verniz.

Quarta, quando experimentamos contradições pessoais, não desistimos de nós mesmos. Se você for basear a sua caminhada cristã na ausência de ambiguidade, desistirá facilmente, porque somos incoerentes por natureza. Como o apóstolo Paulo bem registrou:

> O problema não está na lei, pois ela é espiritual e boa. O problema está em mim, pois sou humano, escravo do pecado. Não entendo a mim mesmo, pois quero fazer o que é certo, mas

não o faço. Em vez disso, faço aquilo que odeio. Mas, se eu sei que o que faço é errado, isso mostra que concordo que a lei é boa. Portanto, não sou eu quem faz o que é errado, mas o pecado que habita em mim.

E eu sei que em mim, isto é, em minha natureza humana, não há nada de bom, pois quero fazer o que é certo, mas não consigo. Quero fazer o bem, mas não o faço. Não quero fazer o que é errado, mas, ainda assim, o faço. Então, se faço o que não quero, na verdade não sou eu quem o faz, mas o pecado que habita em mim.

Assim, descobri esta lei em minha vida: quando quero fazer o que é certo, percebo que o mal está presente em mim. Amo a lei de Deus de todo o coração. Contudo, há outra lei dentro de mim que está em guerra com minha mente e me torna escravo do pecado que permanece dentro de mim. Como sou miserável! Quem me libertará deste corpo mortal dominado pelo pecado? Graças a Deus, a resposta está em Jesus Cristo, nosso Senhor. Na mente, quero, de fato, obedecer à lei de Deus, mas, por causa de minha natureza humana, sou escravo do pecado.

Romanos 7.14-25

"Não quero fazer o que é errado, mas, ainda assim, o faço", diz Paulo. Assim como ele, nós somos os seres que amam a paz, mas fazem a guerra; falamos de amor, mas somos tomados por ódio destruidor; sonhamos com a santidade, mas cedemos ao pecado; almejamos uma vida diante de Deus, mas sucumbimos ante a sedução do pecado. Somos seres contraditórios porque queremos viver uma vida de alegrias, mas gastamos muito das nossas energias consumidos pela tristeza. O que precisamos aprender é que, enquanto experimentamos essas contradições, não desistimos, em vez de olhar para essas contradições e dizer que não servimos para Deus. Saber que nosso nome está escrito no Livro da Vida faz com que a mente descanse, a culpa vá embora, as acusações cessem, o coração seja pacificado e a paz se instale, para a glória do Senhor.

Vamos orar

Pai de amor, abre a minha mente e o meu coração para entender plenamente a verdade de que aquele que crer no sacrifício da cruz estará curado da culpa. Repreende o inimigo todas as vezes que ele me acusar e tentar me cobrir de culpa. Que o meu coração e a minha mente estejam banhados pelo alívio de saber que fui justificado naquela rude cruz e que o peso esmagador da culpa já não poderá me destruir, pois Jesus carregou sobre si toda a minha culpa. Eu te louvo e gradeço por esse amor que foge à compreensão humana e só pode ser entendido e aceito num passo de fé. Muito obrigado, Pai, em nome do Senhor Jesus Cristo. Amém!

9

VENCENDO OS VÍCIOS E AS COMPULSÕES

Tenho percebido em minha vida pastoral que um dos males que mais têm crescido nos últimos anos em nossa sociedade é a presença cada vez maior de compulsões e vícios no cotidiano das pessoas. São práticas que prendem, amarram, subjugam, acorrentam e acabam, muitas vezes, por destruir a interioridade de um indivíduo. Por essa razão, é muito importante analisarmos maneiras bíblicas de vencer os vícios e as compulsões, o que implica, necessariamente, aprender a dizer ***não*** a si mesmo. É possível ter domínio próprio sobre os impulsos? Sim, é.

A psicologia classifica vício como um comportamento habitual e repetitivo, difícil ou impossível de se controlar. Essa é a definição científica, e abre um enorme leque de possibilidades. A abrangência dessa definição é muito grande e alcança não apenas aqueles vícios já consagrados como tais, mas de muitos matizes, como a compulsão por comer ou por navegar na Internet por horas e horas. Recentemente, li a respeito de um adolescente que ficou cinquenta horas ininterruptas no seu computador navegando na Internet, um episódio bizarro e assustador.

Outros são viciados em consumo, e compram o que não precisam, com o dinheiro que não têm. Ou, então, há aqueles que se tornam consumidores compulsivos de medicamentos, a ponto de se automedicarem. Interessante que até mesmo quando submetidos a placebos, ainda assim do ponto de vista psicológico, conseguem ter reações que justificam para si mesmo o consumo daquilo ali. Outros são viciados em álcool, em cocaína, em algum tipo de amarra química. Muitos desses tentam libertar-se de forma, às vezes, desesperada, e submetem-se a tratamentos, vão para clínicas especializadas, partem para atitudes drásticas. Há outros que vivem a questão da escravidão sexual, pessoas que estão completamente entregues a qualquer tipo de prática, relativizando o bom senso no uso do que Deus deu para o bem de cada um. Enfim, são dominados, amarrados, conduzidos, manietados, embora afirmem que não. Quando isso acontece, há prejuízo na mente, no corpo, no bolso, nos relacionamentos.

Quanta gente competente, inteligente e preparada, que perdeu muito ou tudo em decorrência de um vício! São pessoas com a autoestima baixa, a dignidade minada e a vida pessoal arruinada. Tem gente que é viciada em inveja, por isso, quando o outro vai bem, ela vai mal, quando o outro cai, ela levanta. Há, ainda, aqueles que são dependentes de um ciúme patológico, possessivo, que vê o que não existe. Outros são dominados pela mentira ou pela maledicência. Alguns são escravos de uma gestão da aparência ou da necessidade de chamar a atenção. Paulo fala sobre a escravidão da alma, provocada pelo pecado.

> Portanto, permaneçam firmes nessa liberdade, pois Cristo verdadeiramente nos libertou. Não se submetam novamente à escravidão da lei. [...]
>
> Por isso digo: deixem que o Espírito guie sua vida. Assim, não satisfarão os anseios de sua natureza humana. A natureza humana deseja fazer exatamente o oposto do que o Espírito quer, e o Espírito nos impele na direção contrária àquela desejada pela natureza humana. Essas duas forças se confrontam o tempo todo, de modo que vocês não têm liberdade de pôr em prática o que intentam fazer. Quando, porém, são guiados pelo Espírito, não estão debaixo da lei.
>
> Quando seguem os desejos da natureza humana, os resultados são extremamente claros: imoralidade sexual, impureza, sensualidade, idolatria, feitiçaria, hostilidade, discórdias, ciúmes, acessos de raiva, ambições egoístas, dissensões, divisões, inveja, bebedeiras, festanças desregradas e outros pecados semelhantes. Repito o que disse antes: quem pratica essas coisas não herdará o reino de Deus.
>
> Gálatas 5.1;16-21

Diante desse quadro calamitoso, devemos perguntar o seguinte: o que leva uma pessoa que sabe de tudo isso, tem noção dos perigos, conhece o terreno onde vai pisar, e não é ingênuo, desinformado ou alienado, a tomar o rumo da autodestruição e da perda?

Em uma análise rápida, podemos pensar em uma razão principal: a busca desenfreada pelo prazer, resultado da mentalidade pós-moderna. Em termos sociológicos, a pós-modernidade é a era do hedonismo, do prazer como objetivo máximo da existência. Essa busca por prazer se torna critério para todas as esferas da vida, até a espiritual, e as pessoas começam a procurar expressões religiosas que lhes tragam boas sensações, "viagens", transcendências voltadas não para a adoração da divindade, mas para a satisfação e o bem-estar do fiel. Lembro-me de certa vez em que recebi no gabinete pastoral uma jovem completamente estragada, com a mente absolutamente minada, porque estava frequentando determinado grupo que, segundo ela, presta cultos à natureza e tem em sua liturgia a ingestão de bebidas alucinógenas. Muito triste.

O sistema impõe hábitos como aceitáveis; porém, são hábitos que podem levar a muita destruição. Veja o caso das bebidas alcoólicas. Uma estatística recente aponta que 73,2% dos jovens brasileiros de 15 a 25 anos consomem álcool; 70% das internações psiquiátricas são consequências do álcool; 68% das ocorrências de afogamento têm como causa principal o álcool; 53% dos atropelamentos resultam do consumo de álcool; 67% dos homicídios também são cometidos por pessoas alcoolizadas; 60% dos acidentes de carro são resultado da ingestão de álcool; 55% das quedas fatais são consequência do consumo exagerado de álcool; 65% dos suicídios entre jovens resultam do alcoolismo e, pasmem, 80% dos casos de estupro têm origem no vício do álcool.

Doutor Vicente Filizola, psiquiatra que é membro de nossa igreja, comentou comigo que, há cerca de trinta anos, quando ele abriu sua clínica, em Recife, sua clientela tinha em média 40 anos, majoritariamente em busca de cura para depressão. Hoje, três décadas depois, cerca de 30% de seus pacientes são crianças entre 8 e 10 anos.

Há um provérbio japonês que diz: "Primeiro, o homem toma a bebida; depois, a bebida toma o homem". Evidentemente, não há aqui nenhum rasgo de puritanismo ou de moralidade falsa, mas a Bíblia é clara e nos fala dos excessos, dos descontroles, da falta de domínio, da incapacidade, da escravidão. A dependência das chamadas drogas ilícitas também causa muitos estragos. Pesquisas mostram que 25% dos adolescentes do ensino fundamental e médio no Brasil já experimentaram algum tipo de droga. A cada ano, a idade do primeiro contato com as substâncias químicas que alteram a clareza mental diminui.

A busca desenfreada por prazer leva muitos a serem escravizados pela prática do sexo descontrolado, nesta era em que é muito fácil o acesso ao *cyber* sexo, isto é, o estímulo erótico obtido por meio da Internet. A rede mundial de computadores tem, hoje, mais de 372 milhões de páginas só de sexo e pornografia, o equivalente a 8% do conteúdo total oferecido pela Internet. Esse fenômeno acaba gerando manias e taras. Aí estão os *chats*, as redes sociais, as *webcams* e outros recursos que têm facilitado muito a escravidão pelo sexo.

Muitas pessoas buscam o vício como meio de aliviar a dor, como um refúgio. A prática viciante acaba assumindo a forma de uma fuga da realidade e de suas dores. Infelizmente, elas não percebem que quanto mais fogem, mais presos e amarrados se tornam. Também há aqueles que correm para o vício em busca de alívio para seus medos e para suas ansiedades, frustações, inibições e tristezas.

Não é fácil lidar com as pressões da sociedade *workaholic* e de consumo. Há pressão pelo sucesso, pela ascensão profissional, pelo enriquecimento. Piedade com contentamento não basta aos olhos do sistema opressor e mundano em que vivemos. É-nos imposto que precisamos sempre vencer, vencer e vencer e qualquer coisa menos que a vitória é considerada fracasso. Muitos não aguentam e sucumbem a prazeres momentâneos e escravizantes a fim de aliviar o fardo e acabam se tornando viciados, dependentes ou compulsivos.

Os paradigmas de sucesso da sociedade contemporânea — na qual é muito mais importante ter do que ser, em que é muito mais importante amealhar do que viver relaxada e abençoadamente a vida — são, para muitos, um jugo impossível de suportar. A comparação com o sucesso do outro nos achata e faz com que muitos busquem fugas do que consideram derrotas pessoais. Num mundo assim, até mesmo as experiências religiosas são relativas, e isso gera fuga.

Cinco passos para derrotar os vícios e as compulsões

Existem sintomas que nos mostram se temos compulsões ou vícios. O primeiro sinal de que você está enredado em alguma prática escravizante é não ter mais liberdade de escolha. No momento em que você faz algo a que não consegue dizer: "Eu não quero", isso demonstra dependência. Muitos dizem: "Esta é a última vez", "Juro que nunca mais vou fazer" ou "Na hora que quiser, eu largo isso", mas, na prática, descobrem que a força de vontade fraqueja diante do vício. Outro sintoma é quando a pessoa continua a praticar o hábito nocivo mesmo quando a culpa é maior que o prazer, isto é, para vinte segundos de prazer a pessoa tem de suportar uma semana de culpa. Outro sinal de dependência é o fato de a pessoa começar a esconder a prática, o que a leva a viver uma vida dupla. O fato de o indivíduo gastar mais do que pode para manter o hábito que lhe dá prazer também é sintoma do vício. E, finalmente, quando a pessoa perde seu conceito de valores, passando a relativizar tudo, inclusive sua escala de valores, é sinal de que a desgraça está se estabelecendo.

A grande pergunta é: qual é o caminho para a cura? O evangelho é antes de tudo solução; é a certeza de que é possível vencer quando todo mundo diz que não pode, quando o psiquiatra diz que não tem jeito, quando o médico diz que não vai, quando o advogado diz "não consigo", quando todos dizem que é impossível. O evangelho sempre diz: "É possível". O evangelho é o poder de Deus para a salvação e para a libertação de todo aquele que crê.

Nesse sentido, cinco passos são fundamentais para derrotar os vícios e as compulsões.

> *O evangelho é antes de tudo solução [...]. O evangelho sempre diz: "É possível". O evangelho é o poder de Deus para a salvação e para a libertação de todo aquele que crê.*

Primeiro, admitir o erro. A coisa mais dura na vida pastoral é você conversar com quem não admite que errou. É difícil. Ali você vê o erro, os resultados, o fracasso, mas, para cada argumento seu, o aconselhado tem dois para se justificar, para explicar, e não admite suas falhas. Essa é a diferença básica entre Davi e Saul. Não se tem registro de que Saul tenha cometido adultério em algum momento da vida. Já Davi errou muito mais que Saul na sexualidade. Qual era a diferença entre Saul e Davi? O que mais os diferenciava nesse contexto é que, quando confrontado, Davi dizia: "Pequei, errei, falhei". Saul, quando confrontado, culpava outros. Certa vez ele acusou o povo; em outra, os sacerdotes; e, em outra ocasião, ele culpou os filhos. Saul sempre transferia a culpa. Deu no que deu. O primeiro passo para vencer a dependência é admitir o problema. É dizer: "Senhor, eu quero deixar, mas não consigo".

Agostinho de Hipona, o maior teólogo do primeiro milênio de cristianismo, foi criado por uma mãe cristã piedosa, mas, antes da conversão, ele teve uma vida sexualmente devassa. Agostinho viveu o drama de ter, de um lado, o ensino da mãe e, do outro, os apetites da carne. Por um lado, ele se lembrava dos ensinamentos da mãe virtuosa, mas, por outro lado, o grito dos instintos era muito forte. Agostinho tinha uma amante e ele relatou em seu livro *Confissões* que costumava orar assim: "Senhor, ajuda-me a largar essa mulher, mas não agora". Era honesto. Só que Agostinho percebeu que ficaria a vida inteira orando assim, portanto, certo dia ele começou a orar de forma diferente, dizendo: "Senhor Deus, eu preciso largar essa mulher, mas não consigo. Socorre-me". Aí a história mudou de figura! Tudo começou no reconhecimento do problema. E, assim como Agostinho e sua compulsão por sexo, devemos ser transparentes e sinceros, orando: "Eu quero, mas não consigo; sei que é necessário, mas não consigo; estou preso, amarrado".

O segundo passo para derrotar os vícios e as compulsões é confessar a falha, verbalizar. Eu não sei muito bem por quê, mas Deus gosta quando verbalizamos, quando damos nome aos bois. A bênção vem quando você dá nome ao pecado, quando diz: "O meu problema é este, tem nome, não é uma coisa etérea, esotérica, desencarnada, abstrata". Todos os nossos erros têm nome; nós sabemos onde, quando e como erramos. Portanto, o segundo passo é dizer: "Senhor, eu sou isto que estás vendo, nem mais nem menos. Socorro!".

Terceiro, rogue o perdão de Deus. Certa noite, eu estava deitado, dormindo, quando acordei com um incômodo no peito muito grande. Comecei a orar, meio angustiado, e tive o cuidado de ficar de costas para minha esposa, para que ela não percebesse, nem sequer ouvisse o barulho do meu nariz. Comecei a dizer a Deus acerca da minha intranquilidade, quando, de repente, veio ao meu coração as palavras de Jesus: "Se seu filho lhe pedir pão, você lhe dará uma pedra? Ou, se pedir um peixe, você lhe dará uma cobra? Portanto, se vocês, que são maus, sabem dar bons presentes a seus filhos, quanto mais seu Pai, que está no céu, dará bons presentes aos que lhe pedirem!" (Mt 7.9-11). Em pouco tempo, eu peguei no sono e dormi com uma tranquilidade quase inédita na minha vida. Precisamos rogar, clamar, pedir, como Davi orientou no salmo 51:

> Tem misericórdia de mim, ó Deus, por causa do teu amor.
>
> Por causa da tua grande compaixão, apaga as manchas de minha rebeldia.
>
> Lava-me de toda a minha culpa, purifica-me do meu pecado.
>
> Pois reconheço minha rebeldia; meu pecado me persegue todo o tempo.
>
> Pequei contra ti, somente contra ti; fiz o que é mau aos teus olhos.
>
> Por isso, tens razão no que dizes, e é justo teu julgamento contra mim.
>
> Pois sou pecador desde que nasci, sim, desde que minha mãe me concebeu.
>
> Tu, porém, desejas a verdade no íntimo e no coração me mostras a sabedoria.
>
> Purifica-me de minha impureza, e ficarei limpo; lava-me, e ficarei mais branco que a neve.
>
> Devolve-me a alegria e a felicidade! Tu me quebraste; agora, permite que eu exulte outra vez.
>
> Não continues a olhar para meus pecados; remove as manchas de minha culpa.

Cria em mim, ó Deus, um coração puro; renova dentro de mim um espírito firme.

Não me expulses de tua presença e não retires de mim teu Santo Espírito.

Restaura em mim a alegria de tua salvação e torna-me disposto a te obedecer.

Então ensinarei teus caminhos aos rebeldes, e eles voltarão a ti.

Salmos 51.1-13

Quarto, abandone o pecado. A Bíblia diz que aquele que confessa e deixa alcançará misericórdia. Lembro-me de certa senhora que me contou uma história chocante acerca de quando se converteu. Ela me relatou: "Pastor, há dezoito anos eu tinha um amante, o marido da minha irmã. Quando ela entrou com ele na igreja, no casamento, eu já estava grávida dele havia três meses". Fiquei estupefato. Ela prosseguiu: "A minha vida virou um inferno. Eu me senti suja, um trapo, indigna. Mas tive o meu encontro com Jesus de Nazaré e sua luz brilhou em minha alma, iluminou todos os recantos do meu coração. A primeira coisa que eu fiz foi pegar o telefone e avisar àquele homem: 'Acabou, basta, chega, terminou. A partir de hoje, é outra vida, em nome do Senhor'". Desde então, eu a tenho acompanhado e aquela irmã é uma campeã, para a glória de Deus.

Quinto passo para derrotar os vícios e as compulsões, mantenha o seu coração quebrantado diante de Deus. Nunca se ache forte, invencível. Paulo disse que é em nossa fraqueza que Deus nos fortalece. Você precisa dizer ao Senhor: "Se tu não vigiares, em vão eu vigiarei; se tu não me guardares, não há força de vontade que resista, porque eu sucumbo a qualquer sedução, a qualquer convite, a qualquer proposta". Você tem de dizer isso ao seu Pai: "Eu dependo de ti, tu és a minha rocha, tu és o meu socorro! Cerca-me por detrás e por diante; envolve-me com os teus braços! Sê tu a minha proteção!".

Você precisa dizer ao Senhor: "Se tu não vigiares, em vão eu vigiarei; se tu não me guardares, não há força de vontade que resista, porque eu sucumbo a qualquer sedução, a qualquer convite, a qualquer proposta". Você tem de dizer isso ao seu Pai: "Eu dependo de ti, tu és a minha rocha, tu és o meu socorro!".

Uma vez que você tenha dado esses cinco passos, procure conselheiros sérios, pessoas com saúde espiritual, que não o deixem pior do que antes de ouvir seus conselhos. Muitas vezes, é preciso buscar tratamento junto a profissionais qualificados, isso não é pecado e, muitas vezes, ajuda enormemente.

Lembre-se de que Jesus não desintoxica; Jesus cura. Foi para a liberdade que ele nos libertou. Ao conhecê-lo, a nossa Verdade, somos libertos. Jesus quebra as cadeias, corta as amarras. Quando isso ocorre, no dia seguinte aparece aquela chance de cometer o pecado que o amarrou a vida inteira e você consegue passar de cabeça erguida, dizendo: "Mas o que houve? Eu nunca tive forças para resistir e, no entanto, hoje virei um herói da fé. Nunca tive forças para controlar esta tentação e, de repente, ela já não me diz nada, não me provoca, não tem nenhum efeito ou impacto". Sabe o que houve? *Libertação!*

Deus não quer um povo escravizado, dependente, oprimido, dominado, vivendo embaixo de chantagem do diabo.

A beleza do evangelho é que para Deus não há nada perdido ou irrecuperável. Os grandes troféus da fé em Deus são vidas transformadas pelo poder do evangelho. Gente que pode bater no peito e dizer: "Eu era, não sou; eu fui, não sou". Gente que pode encarar o próprio inferno e dizer: "Fiz tudo isso, mas a graça de Deus me transformou!".

Se você percebe que não consegue se livrar de um vício, coloque-se sob a luz do Senhor Jesus Cristo e rogue: "Tem misericórdia de mim!", e ele terá. Clame: "Ajuda-me!" e ele ajudará. Suplique: "Olha para mim, para o meu filho, para o meu marido, para minha esposa, para minha casa!". E ele olhará.

Somente creia. E ele agirá.

Vamos orar

Pai querido, rogo que o teu escudo me defenda daquilo que me escraviza. Que tu sejas o meu refúgio, fortaleza inexpugnável. Protegendo-me de todo o mal, e também a minha casa, os meus filhos, os meus queridos. Senhor, em dias tão difíceis, tão maus, quando a multiplicação da iniquidade é visível e já não sabemos até onde vai ou como controlar, sê tu o refúgio da minha vida, o porto-seguro em que o barco da minha alma esteja ancorado. Que se cumpra na minha vida a palavra que nos diz que cairão dez mil de um lado, mil do outro, mas nós não seremos atingidos. Eu te peço, em nome de Jesus, que agora todas as cadeias se quebrem, que as correntes se rompam, e que, livre, eu possa te adorar na beleza da tua santidade! Faze isso, Senhor! Destrói o mal que prende, limita, adoece, acovarda, desanima. Que o diabo não consiga usar nenhuma compulsão para destruir minha vida, mas, antes, seja ele repreendido. Peço que assim seja para a tua glória! Em nome de Jesus. Amém.

10

VENCENDO AS ENFERMIDADES DA ALMA

A queda da humanidade, ocorrida no Éden, não provocou somente ruína espiritual, mas, também, psicológica, emocional e física. Quando o homem transgrediu a vontade de Deus, a morte passou a ser uma realidade inevitável, e os resultados foram catastróficos. Os cardos e abrolhos surgiram sobre o planeta. Os predadores começaram as suas investidas e o homem, em vez de proteger e defender a natureza sobre a qual ele era a coroa, passou a ser o seu maior perseguidor, predador e inimigo. Além disso, doenças surgiram: enfermidades físicas, psicológicas e espirituais.

As doenças do espírito têm origens diversas, mas eu gostaria de relacionar duas origens objetivas e específicas dessas moléstias. Uma é a realidade de pecados ocultos, escondidos, não confessados, que produzem enfermidades que até se somatizam. O salmista disse, por exemplo, que, enquanto calou os seus pecados, envelheceram os seus ossos. Mas elas também podem surgir como resultado da ação destruidora de espíritos malignos. Eles vivem a perseguir e a oprimir. Eles trabalham para destruir relacionamentos, esperanças, confiança, coragem, ânimos, disposição, criatividade e muito mais.

Entretanto, a Palavra de Deus nos ensina que o Filho de Deus se manifestou para desfazer as obras do diabo. E eu quero, de forma muito simples e objetiva, à luz da Bíblia, lançar essa verdade sobre a nossa vida, porque aquele a quem servimos é maior do que aquele que está no mundo. Aquele que conosco está é o Senhor dos senhores, o Rei dos reis. Ele tem todo poder nos céus e na terra e, ao ser confrontado com o poder de seu nome, as hostes espirituais da maldade batem em retirada.

Aquele que conosco está é o Senhor dos senhores, o Rei dos reis. Ele tem todo poder nos céus e na terra e, ao ser confrontado com o poder de seu nome, as hostes espirituais da maldade batem em retirada.

As enfermidades de origem espiritual têm seus sintomas. Para compreender essa realidade, vamos ler um trecho significativo das Escrituras Sagradas:

> Certo sábado, quando Jesus ensinava numa sinagoga, apareceu uma mulher enferma por causa de um espírito impuro. Andava encurvada havia dezoito anos e não conseguia se endireitar. Ao vê-la, Jesus a chamou para perto e disse: "Mulher, você está curada de sua doença!". Então ele a tocou e, no mesmo instante, ela conseguiu se endireitar e começou a louvar a Deus.
>
> O chefe da sinagoga ficou indignado porque Jesus a tinha curado no sábado. "Há seis dias na semana para trabalhar", disse ele à multidão. "Venham nesses dias para serem curados, e não no sábado".
>
> O Senhor, porém, respondeu: "Hipócritas! Todos vocês trabalham no sábado! Acaso não desamarram no sábado o boi ou o

jumento do estábulo e o levam dali para lhe dar água? Esta mulher, uma filha de Abraão, foi mantida presa por Satanás durante dezoito anos. Não deveria ela ser liberta, mesmo que seja no sábado?".

As palavras de Jesus envergonharam seus adversários, mas todo o povo se alegrava com as coisas maravilhosas que ele fazia.

Lucas 13.10-17

O texto diz que aquela mulher sofria havia dezoito anos de uma enfermidade que era uma manifestação física e visível de uma opressão maligna. Sabemos disso porque o próprio Jesus diz que por trás da doença estava Satanás. Sim, aquela senhora era cativa do diabo. Portanto, essa não era apenas uma enfermidade de origem física, biológica, não era um problema exclusivamente orgânico. A enfermidade dessa mulher tinha uma origem espiritual, segundo nos diz o próprio Cristo, e por dezoito anos era cativa de Satanás.

A manifestação daquela doença aparecia na forma de uma cifose terrível, isto é, ela andava encurvada, olhando para o chão. É natural supormos que a senhora tivesse feito tudo o que estava ao seu alcance para ficar boa. Creio que ela deve ter recorrido a muitos médicos e aos mais variados recursos; no entanto, durante dezoito anos, teve de viver a sua agonia, o seu drama, a dor de não ser curada, de buscar libertação e não obter, tendo de se curvar ante uma doença de origem espiritual, produzida por opressão maligna.

Sintomas da opressão

Neste momento precisamos compreender o que exatamente significa opressão. Oprimir é exercer compressão em algo; apertar, aplicar pressão. A opressão espiritual se dá quando portas se abrem na alma para que espíritos malignos tenham força para pressionar e tentar destruir a qualquer custo aquela vida. Como já disse, isso pode ser resultado de pecados, ou de uma vida de contato com entidades malignas (como em práticas ocultistas), de pactos feitos na escuridão e nas trevas da noite, de cultos condenados pela Palavra de Deus. Todas essas atividades deixam marcas, sequelas e doenças que só podem ser curadas e resolvidas pelo poder do Senhor Jesus de Nazaré.

Um dos sintomas da opressão maligna é a pessoa inexplicavelmente começar a ouvir vozes. Eu recebo em meu gabinete pessoas que dizem: "Pastor, estou enlouquecendo, já não aguento mais. Às vezes estou em casa e ouço alguém me chamar objetivamente. Olho para trás e não há ninguém. Só eu estou dentro de casa. Isso está me deixando alucinado. Escuto a voz de forma audível me chamando pelo nome, ou tenho a sensação de que estou sendo observado, de ter alguém muito próximo me olhando".

Outro sintoma são tonturas. Não que todas tenham origem espiritual, mas há tonturas que são, sim, provocadas por influência de espíritos. Na minha juventude experimentei isso, vivi uma opressão maligna tão cerrada que, ao andar pelas ruas do Rio de Janeiro, fui acometido por tonturas, a ponto de ter de me escorar para não cair. Muitas vezes, esses espíritos trabalham em um nível psíquico, embotando a mente e chegando a ponto de tirar a consciência da vítima. Não são poucas as vezes em que uma pessoa oprimida perde a própria consciência, para só recuperá-la depois.

Outro sintoma são as inexplicáveis manias de perseguição. É claro que existem distúrbios psíquicos que surgem como resultado natural da falência psicológica ou cerebral do ser humano, mas opressões demoníacas também promovem esses distúrbios, que geram mania de perseguição. A pessoa fica acuada. A sensação é de que os olhos das pessoas estão fazendo em você um ***strip-tease*** da alma, despindo-o publicamente. Na verdade, mesmo que ninguém saiba, a sua consciência o desnuda, de maneira que você vive a dor de uma perseguição espiritual. Algumas pessoas são tão cronicamente enfermas nesse aspecto que, se ligarem o rádio do carro e o locutor falar algo, elas dirão: "Esse homem sabe da minha vida". Você não imagina quantas vezes, após um culto, alguém me pergunta: "Pastor, alguém lhe falou a respeito da minha vida?" E eu digo: "Não". Todos nós que pregamos temos essa experiência. A Palavra de Deus é bisturi; ela vai fundo, abre, penetra, disseca, faz separação entre as trevas e a luz. No entanto, ela abre para curar.

A Palavra de Deus é bisturi; ela vai fundo, abre, penetra, disseca, faz separação entre as trevas e a luz. No entanto, ela abre para curar.

Insônias crônicas e acentuadas também são sintomas de opressão maligna. Evidentemente, há insônias que são patologias naturais da velhice, da caminhada na existência, de preocupações do dia a dia, mas há insônias que vem conjugada a uma terrível opressão e que, na manhã seguinte, você vive a sensação de que andou a pé uns cinquenta quilômetros à noite. Amanhece doído, quebrado, partido, cansado, com a cabeça latejando. Parece que alguma coisa conspirou, oprimiu, trouxe abatimento sobre você, que experimenta aquela sensação de que durante a noite pede a Deus que o dia chegue e, durante o dia, pede a Deus que a noite aconteça. É a sensação do cobertor curto: cobre os pés, a cabeça fica de fora; cobre a cabeça, os pés ficam de fora. Quando as pessoas estão sob intensa opressão maligna e espiritual, vivem essa realidade, e não há coquetel de medicamentos que resolva.

Outro sintoma de opressão maligna é o desejo sexual exacerbado. É quando a mente é tomada por taras que a sociedade elegantemente chama de "fantasias", por apetites absolutamente anormais, e a pessoa inexplicavelmente passa a ter um apetite sexual descontrolado. É interessante como há muitas armadilhas espirituais. Eu conheci uma senhora muito rica, que, certo dia, oprimida, angustiada, desesperada, resolveu viajar para o Tibete a fim de consultar gurus e obter cura e libertação. Lá, o primeiro contato foi com um guru muito conhecido, que extorquiu aquela mulher e lhe deu uns saquinhos para que ela fizesse chá. Segundo ele, ela seria curada daquele mal apenas ingerindo a bebida. Para sua tristeza e depois de gastar muito, ela constatou que o conteúdo daqueles saquinhos eram fezes de animais. Outra empresária que conheci viajou para Tibete e, dentre os "tratamentos" que lhe prescreveram para suas inquietações, essa mulher foi orientada a manter quatro relações sexuais por dia — com homens diferentes — durante trinta dias. Ela retornou sentindo-se apodrecida, suja, e me disse: "Pastor, eu retornei porque Deus foi misericordioso. Eu não me reconheci. Era outra pessoa". Isso ocorre porque a opressão maligna provoca doenças espirituais nessa área também e os custos e os tributos são uma dor inimaginável.

Outro sintoma são as obsessões patológicas, terríveis. É quando a pessoa centra a vontade em uma coisa e tem a sensação de que ou faz aquilo ou morre. Você encontra a pessoa, lhe diz "bom dia" e ela lembra do assunto. Você diz "vamos almoçar" e ela lembra do assunto. Ela come e dorme com aquela ideia fixa na cabeça, o que é sinal de uma enfermidade na alma. A incapacidade de ter flexibilidade nas suas próprias ideias, que gera uma obsessão continuada, pode ser a manifestação de uma enfermidade espiritual.

Outros têm essa enfermidade espiritual expressa na forma de uma depressão crônica. Não são aquelas depressões que vêm e vão, tão rotineiras no mundo atual, mas que se estendem por anos. Tenho acompanhado casos de pessoas deprimidas há mais de vinte anos. Elas não estão vivendo, mas sobrevivendo. Uma das táticas dos espíritos malignos é acorrentar a pessoa a um estado de depressão.

Esses sintomas de uma irritabilidade sem causa manifestam muitas vezes a existência de uma enfermidade espiritual, porque a ausência de paz interior é sintoma de que alguma coisa não vai bem, porque aquele que vive na comunhão do Senhor vive em estreito relacionamento com o Príncipe da Paz, Jesus.

Também há o sintoma da irritabilidade. Isso é fácil de ver. Quando logo cedo o marido inocentemente olha para o lado e diz: "Bom dia, meu amor!" e recebe como resposta: "Chega para lá!", junto com cotoveladas e joelhadas. Berra com o filho por qualquer coisa. Tudo parece estar ruim: o feijão está salgado, a comida está fria, no trânsito é uma briga atrás de outra, no trabalho é só insatisfação... Depois, a própria pessoa olha para si mesma e diz: "Mas o que é isso? O que eu fiz? O que houve?". Esses sintomas de uma irritabilidade sem causa manifestam muitas vezes a existência de uma enfermidade espiritual, porque a ausência de paz interior é sintoma de que alguma coisa não vai bem, porque aquele que vive na comunhão do Senhor vive em estreito relacionamento com o Príncipe da Paz, Jesus. Caia o mundo ao seu redor, ela não é atingida. Portanto, se você vive essa dor da irritabilidade crônica, é sinal de opressão maligna.

E, finalmente, o último sintoma é o desequilíbrio emocional. Há pessoas pelas quais você vai orar e choram muito. E, quando choram, a minha oração a Deus é a seguinte: "Senhor, revela-me se é quebrantamento ou desequilíbrio emocional", porque pode ser uma coisa ou outra. Um dos piores resultados da opressão maligna numa vida é o desajuste emocional. Ora a pessoa está rindo, com gargalhadas estrondosas, para logo em seguida, repentina e inexplicavelmente, cair em pranto descontrolado ou tornar-se agressiva, violenta. As emoções desequilibradas tornam-se um algoz horroroso para a vida de uma pessoa. Já vi isso acontecer.

Ele vê, chama e cura

O texto diz: "Ao vê-la, Jesus a chamou para perto e disse: "Mulher, você está curada de sua doença!" (v. 12). Perceba que a primeira coisa que ocorreu no processo de cura daquela corcunda foi que o Senhor *viu* aquela senhora. De igual modo, Jesus vê você. Não pense que você é um anônimo, um dígito que anda pela rua. Jesus sabe o seu nome, o seu CEP, o seu endereço, o seu número de telefone, conhece a sua casa, sabe o que há dentro das suas gavetas, enxerga o seu quarto, acompanha a sua vida. É importante dar-se conta de que não foi a mulher que viu Jesus, até porque ela não podia, uma vez que tinha uma cifose grave: ela só via o chão. O horizonte dela era poeira. Mas o texto diz: "Ao vê-la...". Aleluia! Jesus me vê e vê você. A agonia, o drama, a dor, as lágrimas que ninguém vê, que ninguém considera, Jesus de Nazaré vê, considera e enxuga.

Mas o Senhor não se contenta em ver: ele *chama*. Do mesmo modo que chamou aquela mulher, ele chama a mim e a você. Ele nos conhece e quer-nos mais perto dele. Por fim, Jesus não só viu e chamou aquela senhora, mas resolveu seu problema e a libertou, para a glória do próprio nome. Merece atenção o fato de que aquele não foi um milagre que ocorreu em doses homeopáticas, foi algo rápido, instantâneo, imediato. Diz o texto: "no mesmo instante, ela conseguiu se endireitar".

Imagine a alegria dessa mulher! Ela saiu de casa naquele dia curvada, crendo que seria mais um dia opressivo como outro qualquer, mas, ao retornar, está ereta. Livre! Liberta! Ela saiu doente e voltou curada; saiu de casa olhando para o chão e voltou olhando para o céu; saiu de casa oprimida pelo diabo e voltou cheia do Espírito Santo. Por quê? Porque foi tocada pelo Senhor Jesus, o Rei dos reis! E ele está conosco para curar.

O resultado disso tudo está no versículo dezessete: "As palavras de Jesus envergonharam seus adversários, mas todo o povo se alegrava com as coisas maravilhosas que ele fazia". Sim, os adversários ficaram envergonhados! Os espíritos malignos foram totalmente constrangidos, enquanto o povo se alegrava, glorificando o nome de Jesus. O Cristo vivo que está conosco é quem pode curar, libertar, salvar e quebrar as cadeias das opressões malignas que produzem doença.

Tudo o que relatei neste capítulo é verdade, acontece. Lembro-me de certo dia em que o reverendo Carlos Alberto Figueiredo, que é médico e professor na faculdade de medicina, pregou em um culto de formatura de uma nova turma de médicos. Ali estavam muitos acadêmicos e profissionais da saúde. Ele subiu ao púlpito com uma pasta cheia de documentos e, lá pelas tantas, na mensagem, ele disse assim, dirigindo-se aos médicos: "Vocês sabem que tal enfermidade é incurável do ponto de vista humano. Todos sabemos. Mas tenho aqui no auditório um paciente" — e mandava a pessoa ficar de pé — "cujos exames estão aqui, para quem quiser ver. Esse moço foi desenganado por mim, mas foi curado pelo Senhor Jesus". Doutor Carlos prosseguiu fazendo isso, pessoa após pessoa, até cerca de oito indivíduos ficarem em pé. Eram testemunhos extraordinários, todos embasados por exames e testes realizados em hospitais conceituados. Ele, então, disse: "Tenho visto Deus fazer maravilhas em cirurgias e até no meu consultório".

> *O Cristo vivo que está conosco é quem pode curar, libertar, salvar e quebrar as cadeias das opressões malignas que produzem doença.*

Sim, Deus faz! Resta saber se você tem a coragem de olhar para si mesmo e reconhecer: "Senhor, na minha vida eu tenho alguns desses sintomas. Vez por outra fico tonto, ouço vozes, tenho a sensação de que estou sendo seguido ou perseguido, há uma insônia crônica que me inferniza a vida, tenho andado com apetites exacerbados na área sexual, absolutamente fora dos padrões de uma normalidade sadia. Estou obcecado por uma ideia que não sai de minha cabeça, ando deprimido, com irritabilidade inexplicável e, pior, tenho magoado as pessoas que eu amo com o meu desequilíbrio emocional". Quero convidá-lo a ouvir o Senhor dizer seu nome, tocá-lo e libertá-lo de todo esse mal, para a própria glória!

Vamos orar

Senhor, cremos que tu estás conosco, assim como estavas com aquela mulher que por tantos anos foi encurvada pelo peso da opressão maligna. A tua presença não é apenas uma afirmação teológica, bíblica, mas é a denúncia da nossa própria sensibilidade, a nossa carne sente que tu estás conosco. Agora, tem misericórdia e, por tua graça, liberta e cura. Onde houver uma alma aflita, com sintomas dessas enfermidades espirituais, que seja agora curada. E que toda obra do mal, gente presa, amarrada por ação de espíritos malignos, por magia negra, bruxaria, feitiçaria, que sejam agora libertos. E que todas as correntes do diabo sejam destroçadas, para o teu louvor. Peço que tragas saúde ao meu corpo e à minha alma, porque tu és o Deus de toda saúde. E coloca no meu coração e nos meus lábios um cântico de gratidão e louvor. Peço que assim seja e que o milagre aconteça agora. Em nome e para a glória de Jesus. Amém.

SOBRE O AUTOR

Alexandre Ximenes é bispo da Diocese da Zona Sul do Recife e estado de Alagoas e deão da Catedral da Reconciliação, em Recife (PE), da Igreja Espicopal Carismática do Brasil. Teólogo, com pós-graduação em Novo Testamento pelo Biblical Theological Seminary, na Filadélfia (EUA), ex-reitor do Seminário Teológico Episcopal Carismático (SETEC), onde é professor, também foi presidente da Aliança das Igrejas Evangélicas Congregacionais do Brasil. É casado com Carmen e pai de Christinne, Vanessa, Alexandre, Ariel e Pablo e avô de Gabriela e Sarah.

Anotações

Anotações

Anotações

Anotações

Compartilhe suas impressões de leitura escrevendo para:
opiniao-do-leitor@mundocristao.com.br
Acesse nosso *site*: www.mundocristao.com.br

Equipe MC: Maurício Zágari (editor)
Heda Lopes
Natália Custódio
Diagramação: Luciana Di Iorio
Gráfica: Imprensa da Fé
Fonte: ITC Berkeley Oldstyle Std
Papel: Norbrite Cream 67 g/m² (miolo)
Cartão 250 g/m² (capa)